Gigi

Dans la collection Graffiti

Mélissa Anctil

Gigi

SOULIÈRES *ÉDITEUR*

case postale 36563 — 598, rue Victoria,
Saint-Lambert, Québec J4P 3S8

Soulières éditeur remercie le Conseil des Arts du Canada et
la SODEC de l'aide accordée à son programme de publication et reconnaît l'aide financière du gouvernement du
Canada par l'entremise du Programme d'Aide au
Développement de l'Industrie de l'Édition (PADIÉ) pour ses
activités d'édition. Soulières éditeur bénéficie également du
Programme de crédit d'impôt pour l'édition de livres – Ges-
tion Sodec – du gouvernement du Québec.

Dépôt légal: 2002
Bibliothèque nationale du Canada
Bibliothèque nationale du Québec

Données de catalogage avant publication (Canada)

Anctil, Mélissa

    Gigi
    (Collection Grafitti; 12)

    Pour les jeunes de 12 ans et plus.

    ISBN 2-922225-73-9

    I.. II. Titre. III. Collection.

PS8551.N 295G53 2002   jC843' .6   C2002-940854-7
PS9551.N295G53 2002
PZ23.A52Gi 2002

Illustration de la couverture :
Amedeo Modigliani
(1884-1920)

Conception graphique de la couverture:
Annie Pencrec'h

Pour Céline Laurin

le coq

CET ÉTÉ-LÀ, COMME CHAQUE ÉTÉ DEPUIS LE DIVORCE DE MES PARENTS, ON M'EXPÉDIA CHEZ MA TANTE POUR UN MOIS. Ma tante, qui avait déjà trois enfants, m'accueillait sans joie ni colère, plutôt avec l'air résigné et las de quelqu'un qui, croyant avoir terminé un travail fastidieux et monotone, s'aperçoit que la tâche se prolonge. Car, j'étais, encore à cette époque, l'enjeu d'un chantage caché entre ma mère, mon père et sa sœur, tous trois unis par des liens invisibles de culpabilité, par de vieilles promesses et d'anciennes loyautés. Ce chantage furtif avait lieu lors de conversations téléphoniques, tard le soir, quand j'étais censée dormir. Il m'arrivait cependant d'être tirée de mon sommeil par la voix menaçante et furieuse de ma mère, et quelquefois aussi, par ses pleurs étouffés, qui laissaient paraître un désespoir et une amertume que je ne lui connaissais pas et qui m'effrayaient plus que tout.

Ma mère me reconduisit au terminus d'autobus, dès le lendemain de la fin de l'année scolaire. Elle m'installa sur le premier siège, près de la fenêtre. Lorsque l'autobus s'éloigna lentement du quai, je ne pus m'empêcher de remarquer sur son visage une espèce de soulagement, de joie aussi, alors qu'elle m'envoyait des baisers

en soufflant sur la paume de sa main.
Tenant d'une main mon sac contenant pou-
pées, livres à colorier, crayons de cire, et
agitant frénétiquement l'autre dans la vitre,
la gorge serrée, je réalisai avec effroi que
ma mère pouvait très bien se passer de
moi. Elle s'éloignait déjà, d'un pas pressé,
avant même que l'autobus ne soit hors de
vue.

Même si j'avais déjà fait ce trajet seule de
nombreuses fois depuis l'âge de trois ans, je
ne reconnaissais jamais la route et je n'avais
jamais aucune idée de la durée du voyage.
Seul l'autobus m'était familier. Sorte d'élé-
phant métallique, il me semblait qu'il effec-
tuait sa besogne avec la conscience résignée
et calme d'une bête de somme. J'épiais attentivement ses moindres grondements,
grincements et soupirs et je m'imaginais le
chauffeur comme son maître. J'aimais me
laisser hypnotiser par la ligne blanche qui
se déroulait devant l'autobus pour disparaître aussitôt. Quand je me lassais de ce
jeu, je m'agenouillais sur mon siège et, le
front collé sur la vitre, j'imaginais que la
fenêtre était un écran de télévision. J'énumé-
rais alors tout ce que je voyais sans perdre
un détail : maison blanche, champ, autre
champ, arbre, vaches, champ, grange, silo,
champ, maison brune, piscine, arbre, fossé…

Je m'arrêtais au bout de quelques minutes, étourdie, et je me rassoyais, les genoux irrités par le tissu rugueux du siège. Aussitôt, les pensées que j'essayais de chasser depuis le départ m'envahissaient de nouveau. J'en devenais toute pétrifiée sur mon siège et j'avais la nausée. Y aurait-il quelqu'un pour m'attendre au terminus ? Étais-je vraiment dans le bon autobus ou étais-je en route pour une destination inconnue ? Est-ce que j'avais vu ma mère pour la dernière fois ?

Ma tante Marie venait tout juste d'inaugurer ce qu'elle appellerait plus tard « sa phase retour à la terre ». Elle avait réussi à convaincre son mari de quitter Sherbrooke pour aller habiter la campagne. Ils avaient acheté une vieille ferme dans les Cantons de l'Est ; il y avait quelques bâtiments et un lopin de terre qu'elle comptait transformer en potager. On accédait à la maison par une allée longue et étroite, bordée de peupliers. J'étais à peine arrivée que mes cousines, Maryse et Lysiane et mon cousin Denis, tout excités, s'emparaient de moi et m'emmenaient rapidement faire le tour du propriétaire. La grange était remplie d'un bric-à-brac et sentait le moisi. Je visitai ensuite une sorte de cabanon métamorphosé en poulailler, où une dizaine de volailles s'ébattaient. Puis on me tira jusqu'à la cage des lapins où j'assistai à un accouplement éclair sous les applaudissements de mon cousin. On visita ensuite la maison, qui me parut laide avec ses moquettes à poils longs. Il y en avait dans presque toutes les pièces, car mon oncle était vendeur de tapis. La décoration privilégiait le brun et l'orangé. Dans la chambre des filles, on avait installé un petit lit de fer pliant, à roulettes, à côté des lits superposés de mes cousines. Puis je procédai à la distribution des cadeaux que ma mère avait achetés pour tout le monde : un foulard pour ma tante, des livres à colorier pour mes cousines, une bande dessinée pour mon cousin, une boîte de fruits en gelée pour tous et un casse-tête de mille morceaux représentant un paysage d'automne aux couleurs éclatantes et irréelles, pour les jours de pluie. Ces cadeaux constituaient une offrande implicite pour préserver la paix ; ils étaient acceptés naturellement, sans gêne, comme des dus.

Le crissement des pneus dans l'allée de gravier annonça que mon oncle Marc rentrait du travail. Le son de la portière qui claquait avait toujours un effet instantané sur sa famille : tous se figeaient, se raidissaient, paralysés soudainement par un sentiment de culpabilité inconscient qui faisait surface. Les enfants cessaient de se chamailler, fautifs tout à coup devant leur père d'avoir trop joué, trop désobéi, trop ri. Ma tante, elle, se levait d'un bond pour accueillir son mari à la porte. Je n'échappais pas non plus à ces sentiments, moi, la quatrième bouche à nourrir, une fille de surcroît, qui ne présentait aucun intérêt pour mon oncle, présente chaque été à cause de vieux engagements qui ne le concernaient pas. Il se contentait de déposer un baiser sec sur les lèvres de sa femme et, sur les autres, un regard vaguement étonné, comme s'il ne reconnaissait pas tous ces enfants qui l'observaient, attentifs.

La première nuit, n'entendant que la respiration égale et profonde de mes cousines endormies, le tic-tac de l'horloge de la cuisine et le ronronnement du réfrigérateur, un sentiment de solitude intense s'empara de moi. Je m'ennuyais de ma mère, de ma chambre, de mon lit. Les odeurs qui ne m'étaient pas familières me répugnaient. Le visage enfoui dans l'oreiller, je pleurai à chaudes larmes, en silence. Je finis par m'endormir et, le lendemain, lorsque je me réveillai, les angoisses de la nuit me parurent lointaines et ridicules. Je les subirais pourtant tous les soirs, pendant la première semaine.

J'étais, pour mes cousines, une curiosité, un trophée, qu'elles voulaient exhiber à tous les enfants du voisinage. Je venais de Mont-réal, mes parents étaient divorcés, une rareté dans les campagnes à l'époque, mais surtout, ma façon de parler différait de la leur : « Parle », m'ordonnaient-elles fièrement devant leurs camarades intrigués. Je m'exécutais non sans une certaine fierté, à la fois gênée et consciente aussi de mon pouvoir, de ma supériorité. Invariablement, ils essayaient ensuite de m'imiter, mais sans succès, le doigt en l'air, la bouche pincée. Ils me baptisèrent la Française, ne s'adressèrent plus jamais à moi directement, me désignant plutôt par des : « elle là ! », des : « hé chose ! » vagues et impersonnels.

Je me sentais inférieure au sein de cette famille et parmi leurs amis. Mes droits étaient limités. Je savais qu'en aucun cas je ne pouvais rouspéter ou me plaindre de quoi que ce soit. Ce qui faisait de moi la cobaye attitrée de mon cousin et de mes cousines. Je devais me plier aux moindres idées qui leur passaient par la tête. Dès le deuxième jour de mon arrivée, Maryse, l'aînée, m'attira dans la salle de bains où elle me força à avaler de l'eau savonneuse pour vérifier si je faisais des bulles en parlant comme dans les dessins animés.

Le jour suivant, ce fut Denis qui me servit des pruneaux assaisonnés de sel. Il hur-

lait de rire en me regardant les manger stoï-
quement.

Lysiane, elle, se spécialisait dans les
séances de chatouillement, où sans même
me toucher, en esquissant les gestes seulement, elle me faisait pousser des cris stridents qui me laissaient pantelante sur le lit.
Pour les adultes, je me faisais très sage,
très polie et j'aidais beaucoup ma tante
dans les tâches domestiques. Avec mon
oncle, j'adoptais la tactique de l'invisibilité,
celle qu'il préférait chez tous les enfants.

Les journées se déroulaient toutes de la
même façon. Après le déjeuner, nous allions
nourrir les poules et les lapins. Les poules
exerçaient sur moi un attrait particulier.
Leurs mouvements de tête saccadés, leurs
yeux fixes à la fois stupides et méfiants,
leur façon de gratter le sol avec leurs pattes
et leurs gloussements indignés me faisaient
rire. J'étais fascinée et rebutée par le coq qui,
vers cinq heures, montait, dans un nuage de
plumes blanches, toutes les poules qui passaient. J'admirais l'insolence de son cocorico, sa poitrine gonflée, sa gorge déployée de
triomphateur. Une fois, qui me parut être le
comble de l'obscénité, j'aperçus une poule
qui se dandinait, mine de rien, le cloaque
dilaté, grotesque, d'où émergeait un œuf
blanc.

Nous allions ensuite sur la galerie où était installé le petit tourne-disque de Maryse sur lequel elle faisait jouer successivement ses trois 45 tours favoris. Il lui arrivait de nous torturer avec un morceau en particulier qu'elle remettait dix, douze fois de suite, sourde à nos protestations, même celles de sa mère, chantant et dansant pour un auditoire imaginaire qu'elle seule voyait. Quelquefois, elle nous plaçait derrière elle et nous ordonnait de faire les choristes en nous indiquant les mots à répéter et les pas à exécuter. Habituellement, nous étions interrompues par l'arrivée des voisins : Jocelyn, Yves et Éric Couture et des jumeaux Béland, Ginette et Réjean.

Les garçons se regroupaient et nous lançaient leurs insultes rituelles. Les ignorer ou leur répondre ? C'était Maryse qui, d'un geste, nous signifiait quelle stratégie adopter. Au bout d'un moment, las de nous injurier, les garçons s'enfuyaient, Jocelyn en tête. Nous faisions toutes semblant d'être soulagées de leur départ, Maryse lançant derrière eux des « Bon débarras ! » narquois. Mais, au bout de quelques minutes, comme répondant à un appel tacite et irrésistible, nous nous levions pour aller les retrouver.

Le reste de la journée se passait à les épier, à les imiter, à les narguer et à inventer d'invraisemblables plans pour les piéger. Il arrivait quelquefois qu'il y ait trêve entre les deux groupes, quand un projet nécessitait la collaboration de tous. Nous avons passé, entre autres choses, une journée entière à aménager une scène dans le garage pour un spectacle qui n'eut jamais lieu. Nous nous sommes réunis aussi pour une pêche aux ménés et à la grenouille. Par un après-midi torride, l'idée nous vint même de creuser une piscine derrière le poulailler, pour nous rafraîchir. À l'aide de contenants de plastique nous avions réussi à dégager un trou d'environ un mètre de profondeur par deux de diamètre, puis nous avions recouvert le fond d'une grande feuille de polythène transparent qui avait contenu des matériaux de construction. Nous l'avions rempli en faisant une chaîne de seaux d'eau comme des pompiers de l'ancien temps. Le résultat fut désastreux. Malgré le plastique, l'eau s'écoulait, mais sa couleur brunâtre surtout n'invita personne à la baignade. Ces projets qui nous passionnaient quinze minutes et qui échouaient la plupart du temps étaient généralement vite oubliés, sauf la fois du trou dont Jocelyn tenait absolument à profiter.

Âgé de quatorze ans, Jocelyn était l'aîné du groupe, et le chef des garçons qui deve-

nait, lors de nos brefs moments de coopéra-
tion, le chef des filles aussi, Maryse s'incli-
nant automatiquement même si elle était
plus intelligente et plus grande que lui.

Jocelyn n'était pas exactement beau, mais
ses cheveux blonds raides et longs, et sa
poitrine musclée suffisaient à donner l'illu-
sion qu'il était séduisant. Je savais qu'il était
souvent sur la première rangée de l'auditoire imaginaire de Maryse lorsqu'elle
chantait et dansait en accompagnant Renée
Martel, Ginette Reno et Donald Lautrec.
Ma cousine aimait se laisser emporter par
une sorte de fièvre romantique. Elle sortait
alors sa boîte de carton (qui avait contenu
une paire de bottes) sur laquelle était inscrit
le mot PERSONNEL au crayon-feutre rouge
souligné plusieurs fois. Elle en extirpait
un cahier à couverture rose dans lequel
elle aimait copier des paroles de chansons
avec des crayons de couleurs. Elle y faisait
des espèces d'enluminures ou bien elle
dessinait des visages féminins aux grands
yeux verts qui pleuraient des larmes par-
faites, bleu ciel, des cœurs transpercés
aussi, dans lesquels elle inscrivait son nom
et celui de Jocelyn. Dans une section de
son cahier, elle s'exerçait à signer son nom
de femme mariée, elle dressait des listes de
ses prénoms favoris pour ses futurs enfants ;

les garçons en lettres bleues et les filles en rose. D'autres pages étaient couvertes d'un seul nom, Jocelyn, suivi de points d'interrogation multicolores. Ma cousine Lysiane possédait elle aussi un cahier dans lequel elle écrivait les noms de garçons que je ne connaissais pas.

Séduite par l'idée d'un cahier, plus que par ce qu'elles y écrivaient, je m'en étais confectionné un : quelques feuilles lignées avaient fait l'affaire. J'y fis surtout des dessins d'animaux et j'entrepris la rédaction d'un texte intitulé : *L'invasion des gorgotons mangeurs de cretons*. Je me gardai bien de succomber à trop de bassesses romantiques que ma mère eût perçu comme un signe de faiblesse inexcusable et qu'elle eût découragé fortement.

Je devinais que Maryse s'intéressait à Jocelyn seulement parce qu'il était le seul candidat disponible. Jocelyn était complètement fou, tout le monde le savait. Fils aîné d'un alcoolique brutal, son visage avait cette crispation caractéristique de la maladie mentale : ses yeux exprimaient tour à tour la colère, la cruauté et la souffrance. La consigne des adultes était formelle ; il ne nous serait jamais venu à l'idée de l'enfreindre. En aucun cas, l'un de nous, garçon ou fille, ne devait se retrouver seul-e avec lui.

Ce jour-là, donc, Jocelyn, frustré, pataugeait rageusement dans la piscine ratée. Le coq, tout près, dans son enclos, lança un cocorico victorieux. Un éclair passa dans les yeux de Jocelyn. Il sortit en riant, les autres s'écartant pour le laisser passer. Il pénétra dans l'enceinte et alla capturer le coq dans un tintamarre de gloussements scandalisés et de battements d'ailes. Il ressortit avec le coq sous le bras, impuissant, les yeux fous, le bec ouvert dans un cri de protestation muet. Jocelyn redescendit dans le trou d'eau. Nous nous rapprochâmes, comme hypnotisés.

Il commença par poser le volatile sur l'eau comme s'il s'agissait d'un canard. Le coq se débattit furieusement en poussant des cris outrés. Excité par sa résistance, Jocelyn le plongea sous l'eau durant une fraction de seconde. Maryse faisait semblant de rire, visiblement mal à l'aise devant cette démonstration de cruauté gratuite, hésitant entre l'envie de prendre la défense du coq et la peur de contrarier Jocelyn, de lui être déloyale.

J'étais horrifiée par ce baptême infernal. Je retenais ma respiration à chaque immersion de la volaille. Chaque fois, le tortionnaire maintenait sa victime un peu plus longtemps sous l'eau. Il se lassa finalement de son jeu. Le coq libéré s'éloigna en bondissant, l'air décharné à cause de ses plumes dégoulinantes. Du fond de sa gorge montait un cri rauque de ressuscité malgré lui. Il se secoua en essayant de retrouver son sang-froid, puis il revint vers nous et fonça sur Denis à coups d'ailes, les ergots pointés vers l'avant.

Un nouveau jeu s'improvisa. La cour se transforma en corrida où les matadors essayaient d'éviter les charges agressives de la bête tout en la taquinant verbalement et physiquement. Je suivis mes cousines qui se retirèrent du jeu, dégoûtées. La trêve était terminée, les hostilités reprirent.

Ce soir-là, heureux d'avoir conclu une vente importante, mon oncle arriva plus tôt et annonça à sa femme de ne rien préparer, qu'il nous amènerait tous manger des frites et des hot dogs à la cantine du village. Ses enfants bondirent tout autour de lui en battant des mains. Tante Marie lui sourit, le visage plein de gratitude. Denis voulut montrer à son père un morceau de bois qu'il sculptait avec son canif. Denis était rouge d'émotion à l'idée que son père accepte de le suivre. Vers huit heures, la famille s'entassa dans la familiale beige. Les filles se disputèrent la place entre leurs parents sur la banquette avant, mais ma tante trancha en m'accordant ce privilège.

La cantine se dressait à l'entrée du village et était reconnaissable à son enseigne Pepsi et à ses murs bleu pâle. Elle était flanquée de deux tables à pique-nique en bois brun, pour l'heure occupées par un groupe d'adolescents bruyants. Oncle Marc se chargea de la commande et fit deux voyages en transportant avec précaution des boîtes de nourriture que ma tante distribua au fur et à mesure. Nous mangeâmes en regardant le coucher de soleil. Puis, mon oncle redémarra, mais il ne prit pas immédiatement le chemin du retour. J'avais cédé ma place à Denis. Assise entre mes deux cousines, je tenais le petit sac de papier brun gras dont je retirais une frite à la fois que je mettais dans ma bouche en haletant pour éviter de me brûler le palais. Mon oncle semblait prendre des chemins de campagne au hasard. Les vitres ouvertes laissaient entrer de l'air frais et parfumé. Une grosse lune orangée se levait dans le ciel bleu-noir. Les tensions tacites et perpétuelles qui existaient entre mon oncle et ma tante semblaient s'être momentanément évanouies : leurs enfants le ressentaient et leur en étaient silencieusement reconnaissants. Pour ma part, j'appréciais le mouvement de la voiture qui fonçait dans la campagne noire et je me sentais en sécurité.

Première levée, le lendemain matin, je sortis seule pour aller voir les animaux. Je descendis les cinq marches de bois pieds nus et je fis quelques pas dans l'herbe fraîche couverte de rosée. Tout était silencieux et paisible. Soudain, le coq, qui s'était caché sur le côté de la maison, bondit en poussant un gloussement de fureur et me griffa la cuisse de ses ergots. Je poussai un cri de surprise et de douleur et j'éclatai en sanglots. Je trouvai injuste que le coq m'attaque, moi qui ne lui avais rien fait, qui l'avais toujours respecté. Tout, autour de moi, me parut minable et laid. Je revins sur mes pas, les joues encore brûlantes.

Debout, derrière la moustiquaire, j'observai le coq qui s'éloigna gravement, en posant une patte devant l'autre, l'air satisfait et vengé.

le robineux
de porcelaine

JE PASSAI LE NOËL DE MES HUIT ANS CHEZ MA
GRAND-MÈRE. Le 25 décembre, ma mère
me mit dans l'autobus avec la promesse
de me rapatrier pour le réveillon du jour de
l'An. Vers le milieu de la semaine, le téléphone sonna. J'entendis ma grand-mère
baisser le ton subitement et je compris, au
regard furtif qu'elle me jeta, qu'il était question de moi. Au bout d'un moment, elle me
passa ma mère qui m'annonça qu'elle ne me
faisait pas revenir comme prévu. La gorge
serrée, j'écoutai ma mère me dire que je
serais mieux avec ma grand-mère. Elle essayait de masquer ses sentiments de culpabilité en empruntant un ton ferme et enjoué,
mais je n'étais pas dupe. Elle me demanda
comment j'allais, ce que je faisais, si je
m'amusais, mais je ne lui répondis que par
monosyllabes, toute concentrée que j'étais à
contenir mes larmes. Je faisais désespérément appel à mon interrupteur interne pour
ne rien sentir, pour m'élever au-dessus de
tout ça. « C'est pas ta mère qui parle, c'est
une inconnue, tu ne l'aimes pas. Tu ne
l'aimes pas », me répétais-je. Quand je rac-
crochai, ma grand-mère me serra tendre-
ment dans ses bras flasques.

Les vacances de Noël étaient pénibles
pour moi, parce que mon grand-père avait
congé et qu'il était tout le temps à la maison.

De tous les membres de ma famille, mon grand-père paternel était celui que je détestais le plus. Sa seule présence me pétrifiait. Dans le salon qui donnait sur la cuisine, il y avait sa chaise favorite, une grosse chaise berçante recouverte de tissu à carreaux beiges et bruns. Quand il revenait de son travail, il s'y installait sans dire un mot et y fumait la pipe en n'émettant de temps à autre que de légers bruits de succion qui me portaient sur les nerfs. Tous ses petits-enfants le craignaient ; seuls les plus âgés étaient assez braves pour s'approcher de lui quand il mettait brusquement la main dans son pantalon et en ressortait des sous qu'il faisait tinter. Ces sous ne m'étaient du reste jamais destinés, car il en voulait particulièrement à ma mère qui avait épousé son fils préféré et qui ne donnait plus signe de vie depuis le divorce.

Il effrayait aussi les adultes ; ma tante semblait très nerveuse quand son père était dans les parages. Elle parlait plus doucement et l'observait toujours du coin de l'œil comme si l'homme, dans la chaise berçante, était en fait un paquet de dynamite qui menaçait d'exploser au moindre bruit. La fin de semaine, il disparaissait dès l'avant-midi dans une sorte d'établi où il buvait de la bière du matin au soir. Il ne remontait que pour son souper, ivre et hargneux. Il s'assoyait à table et attendait qu'on le serve, immobile et courbé sur son assiette. Quand il avait terminé, il dégageait prestement son dentier d'un coup de langue et le remettait en place en le faisant claquer. Un geste qui m'avait fait hurler de terreur selon les dires de ma grand-mère et de ma tante la première fois que j'en avais été témoin, à l'âge de trois ans et demi.

Mes cousins et mes cousines avaient inventé un jeu auquel on jouait pendant son absence. Il s'agissait de profaner sa chaise, véritable objet maléfique, en s'y asseyant. Les plus peureux, comme moi, ne réussissaient qu'à y poser le bout des fesses et pour quelques secondes seulement, tandis que les plus braves allaient jusqu'à sauter dessus avec leurs chaussures. C'était Paul qui détenait le record de bravoure et d'insolence : il avait pu, en effet, rester assis calmement dans la chaise alors même qu'on entendait les pas de mon grand-père montant l'escalier.

À côté de cette chaise hideuse, ma grand-mère avait installé une étagère de verre et de laiton sur laquelle étaient disposés ses trésors, des bibelots qu'elle avait amassés au fil des ans. Un taureau de céramique glacée rouge et noire partageait la tablette du haut avec un Saint-Christophe en plastique. Sur l'étagère du dessous, elle avait disposé des figurines Salada, de petits animaux en porcelaine qu'on trouvait dans les boîtes de thé du même nom. Au centre de ces dernières, coincé entre le raton laveur sur une bûche et l'écureuil avec sa noix, trônait son favori, le robineux de porcelaine (comme l'avait baptisé mon oncle Marc), acheté avec les cinquante dollars qu'elle avait gagnés au jeu de bingo. C'était un personnage de sept ou huit pouces de hauteur, mi-clochard, mi-clown, vêtu d'un manteau rapiécé noir et d'une veste à carreaux rouges. Il portait de vieilles chaussures éculées et percées qui laissaient voir ses orteils. Il était coiffé d'un haut-de-forme renfoncé. Il s'agrippait, d'une main, à un réverbère antique, et de l'autre, brandissait une bouteille. Il avait le nez rouge et souriait, d'un sourire édenté. Chaque jour ma grand-mère époussetait amoureusement les bibelots de son étagère.

Le réveillon, cette année-là, avait lieu un samedi. Dès le matin, ma grand-mère se mit à préparer fébrilement toutes sortes de petits hors-d'œuvre, mini-sandwichs, bouchées diverses. J'eus pour tâche de piquer cornichons et olives avec de jolis cure-dents de couleur. Dans l'après-midi, les brus de ma grand-mère vinrent l'aider puis repartirent vers quatre heures pour se faire une beauté. Grand-maman m'envoya de force faire une sieste. Il fallait que je sois en forme pour veiller tard. La seule participation de mon grand-père fut de monter des caisses de bière du sous-sol et de les ranger dans le réfrigérateur.

Les premiers invités se présentèrent vers vingt heures. Campée devant la porte de la cuisine, ma grand-mère les accueillait gaiement. Les invités endimanchés dédaignaient les pantoufles de phentex rangées dans une boîte de carton et extirpaient de leur sac leurs chaussures propres. Mon grand-père, lui, se berçait et se contentait d'un hochement de tête sec en direction des nouveaux arrivants. Il avait cependant mis son unique costume, un habit de polyester brun qu'il portait avec une chemise à carreaux qui rappelait le tissu de sa chaise. Ma grand-mère me chargea de prendre les manteaux et de les empiler au fur et à mesure sur son lit. Intimidante mission, car je ne connaissais pas un grand nombre des invités présents, parents lointains que je n'avais jamais vus. J'aurais voulu que ma mère soit là pour me donner quelqu'un à qui me rattacher, à qui appartenir. Sans elle, je faisais figure d'orpheline, d'enfant négligée, comme en témoignaient les regards de commisération que les adultes posaient sur moi. Pour les éviter, je restais le plus longtemps possible dans la chambre de ma grand-mère, toutes lumières éteintes, essayant de distinguer des voix familières parmi les exclamations bruyantes. J'entendais les verres tinter et des invités s'esclaffer en prenant leur première gorgée, protestant sans conviction contre la mesure d'alcool que contenait leur verre. Mais la lumière de phares balayant le mur de la chambre et le son de pneus crissant dans l'allée enneigée m'annoncèrent de nouvelles arrivées et me forcèrent à sortir de ma cachette.

Je fus soulagée en reconnaissant cette fois la voiture de mon oncle Marc. Cependant, quand mes cousines entrèrent, je vis à leur mine renfrognée et à leurs yeux rougis qu'elles s'étaient disputées. Elles s'assirent chacune au bout du divan, les bras croisés, sans se regarder. Quant à Denis, il me déserta aussi en courant sur les genoux de mon grand-père, dont il était le favori, et qui glissa des sous blancs dans la poche de son veston de velours. Denis vit que je les observais et il me fit une grimace pleine de supériorité. Enragée et jalouse, je préférai battre en retraite de nouveau dans la chambre de ma grand-mère. Je retirai mes chaussures de cuir verni et je

glissai mes jambes sous la pile de manteaux parfumés. La sensation me plut et je
m'enfonçai davantage jusqu'à disparaître
complètement.

Je me dégageai un trou pour respirer et
voir un peu la pièce. À ma droite se trouvait
la fenêtre givrée dans laquelle clignotait
une petite étoile à cinq branches, et qui se
reflétait dans le miroir de la commode. Le
bruit confus des conversations des adultes
me parvenait de la pièce d'à côté. J'entendais également la porte du réfrigérateur
qu'on ouvrait et refermait et le son des
bouteilles de bière qu'on débouchait. J'étais
bien là où j'étais. Je n'avais plus du tout
envie de sortir et de me mêler à la fête. Je
décidai d'attendre et de voir si mon absence
serait remarquée.

Je m'endormis sans m'en rendre compte
et m'éveillai en sursaut sous la pile de manteaux. J'étais complètement désorientée et
j'avais très chaud. Sans savoir combien de
temps j'avais dormi, je remarquai tout de
suite que le bruit de la fête s'était amplifié.
On riait et parlait fort. Quelqu'un, impossible de savoir si c'était un homme ou une
femme, réclamait de la musique. Tout sonnait faux, comme si les éclats de rire, qui
ressemblaient parfois à des cris, recelaient
une menace invisible. J'entrouvis la porte de

la chambre, qu'on avait refermée pendant mon sommeil. La première chose que je vis fut mon oncle, le visage rouge qui tournait avec sa femme et sa sœur dans ses bras « Collez vos totons, mes belles femmes, les enfants sont couchés ! » leur intimait-il d'un ton grivois. Ma tante Marie et sa belle-sœur Josée, les cheveux défaits, pouffaient de rire comme deux adolescentes. Un cousin de ma grand-mère giguait en criant « Pas pire le vieux, han, y'en a là-dedans ! », tandis que ma grand-mère, et deux femmes que je ne connaissais pas, l'applaudissaient et l'encourageaient.

C'est alors que mon grand-père apparut à l'entrée du salon, une bière à la main, en titubant. Il regardait d'un air mauvais le trio qui tournait devant lui. Il prit une gorgée de bière sans les quitter des yeux et s'adressant à sa fille, maugréa :

— Maudite catin !

Mon oncle s'arrêta net de danser, et sa sœur Josée, qui n'avait rien vu, lui fonça comiquement dedans. Son visage se transforma subitement quand elle vit le regard enragé de son frère qui toisait le vieillard.

— Qu'est-ce que vous avez dit là, le père ? demanda mon oncle, menaçant.

Mon grand-père sembla retrousser les babines comme un chien, découvrant des dents de plastique trop blanches pour son vieux visage :

— Maudite catin, cracha-t-il à nouveau dans la direction de sa fille en feignant d'ignorer la question de son gendre.

La fête se démantibulait comme un vieux manège déglingué. Des visages surpris en plein rire se figèrent. Ma grand-mère, la première, flaira le danger, elle si habituée à contenir tous les éclats d'émotion. Assise dans le divan, le regard fixe, elle murmurait :

— Voyons, André, voyons donc !

Instinctivement, mon cœur battant à tout rompre, je me reculai dans l'obscurité de la chambre. Ma tante, elle, semblait toute rapetissée tout à coup ; malgré ses épais faux cils et ses sourcils dessinés au crayon, elle ressemblait à une petite fille de cinq ans qu'on vient de gifler par surprise.

D'un bond, mon oncle s'approcha de son beau-père et lui enserra le cou de ses deux mains. Pendant quelques secondes, on eût dit que les deux hommes venaient simplement de changer de partenaire pour reprendre la danse endiablée. Ils se faisaient pivoter l'un l'autre, raides, le visage cramoisi de rage. Mon oncle eut le dessus et, lâchant le vieux, le projeta tête première dans l'étagère aux bibelots de ma grand-mère.

Le fracas de l'étagère qui s'effondrait fit sortir les invités de leur stupeur. Un homme retint mon oncle qui fit mine de se diriger à nouveau vers mon grand-père. Ma grand-mère, elle, se leva d'un bond du divan en poussant un cri plaintif, mais au lieu de se diriger vers son mari, comme tous le croyaient, elle s'agenouilla dans les débris et prit dans ses mains ce qui restait de son robineux de porcelaine. Elle pleurait en essayant de le rafistoler maladroitement. La peur m'avait fait m'accroupir dans l'entrebâillement de la porte. De mon poste, je voyais les visages de mes grands-parents. Mon grand-père, le visage gris, humilié, se frottait le cou. Il paraissait tout petit, tout frêle. Seuls ses yeux étincelaient encore, remplis plus que jamais de méchanceté et de hargne. J'arrivais à peine à regarder ma grand-mère dont la faiblesse me remplissait d'une honte étrange. Je ne voulais pas la voir dans cet état de fragilité, je voulais qu'elle se relève, qu'elle soit comme d'habitude. Je comptais sur elle. Nous comptions tous sur elle.

Des hommes remirent mon grand-père sur pied, mais il les repoussa rageusement. Les femmes s'empressèrent d'aller chercher le balai et le porte-poussière pour tout effacer. Ma tante Marie, agenouillée près de sa mère, continuait de ramasser les morceaux de porcelaine et les mettait dans une boîte de carton. Mon grand-père s'était rassis dans sa chaise, une bière à la main. Marc partit avec un de ses frères faire le tour du bloc pour se rafraîchir les idées, sans même mettre de manteau. Quelqu'un remit de la musique. Puis une voix faussement enjouée fusa de la cuisine :

— Y'est minuit ! Bonne année !

Comme dans un canon, toutes les voix firent bientôt écho à la première et les souhaits se multiplièrent, les poignées de mains, les embrassades aussi.

Toujours cachée dans l'ombre, je vis la fête se remettre péniblement en branle, comme un vieux manège rouillé qui reprend du service, mais qui menace de s'arrêter incessamment.

le polaroïd

UN MATIN D'OCTOBRE, JE DÉCOUVRIS DANS MON PUPITRE UNE CARTE D'INVITATION POUR L'ANNIVERSAIRE D'ISABELLE LANDRY, la fille la plus riche de la classe. Je savais cela parce qu'elle avait toujours des sous blancs dans ses poches, une véritable fortune à mes yeux. N'étant pas très populaire, elle se servait d'ailleurs de cet argent pour appâter des filles, et quelquefois des garçons, en leur promettant des tournées au dépanneur du coin où elle les régalait en bonbons de toutes sortes. J'étais nouvelle à l'école. C'était la première fois qu'elle m'approchait.

Cette invitation valait beaucoup à mes yeux. J'allais enfin me faire des amis, être acceptée par les autres. Je rentrai de l'école en brandissant triomphalement la carte décorée d'un clown. Ma mère soupira à l'idée d'avoir à acheter un cadeau à cette petite fille bourgeoise, mais elle savait bien qu'il m'était impossible d'arriver les mains vides.

Le matin de l'anniversaire, je revêtis mon unique robe longue et je me laissai coiffer sans trop rechigner. Je traversai le parc, mon paquet sous le bras, mes bottes de pluie aux pieds, puis je gravis les escaliers de pierre de la riche maison en tenant les bords de ma robe. La mère d'Isabelle, une belle femme élégante, apparut derrière la lourde porte vitrée. Elle me fit entrer et me conduisit devant l'entrée du sous-sol, où étaient les autres invités, puis elle repartit vers la cuisine.

J'ouvris la porte, descendis la première marche et je m'arrêtai net, comme suspendue entre deux mondes. La pénombre de l'escalier m'offrait un refuge où j'aurais volontiers passé l'après-midi. Je savais qu'arrivée en bas je serais le point de mire de tous les regards, une situation insupportable pour moi. Pendant quelques secondes, je pensai rebrousser chemin, mais le bruit des chaussures à talon haut de la mère d'Isabelle qui revenait dans ma direction me força à continuer ma descente.

Mes camarades de classe étaient endimanchés, eux aussi. Leur accueil ne fut pas plus chaleureux que d'habitude. Seule Isabelle vint à ma rencontre, vêtue d'une robe rose à volants qui devait avoir déjà suscité des grimaces d'envie de la part des autres filles. Elle s'empara du cadeau que je lui tendais et le déposa avec les autres sur la table. Je me rassurai en voyant que la fêtée elle-même paraissait mal à l'aise. Elle jetait des coups d'œils inquiets dans la direction des trois filles les plus populaires, Laurie, Julianne et une autre Isabelle. Celles-ci se tenaient ensemble comme à l'école, tandis que les deux seuls garçons du groupe, les jumeaux Brunel, Sylvain et Louis, tournaient autour d'elles comme de gros bourdons. Elles se murmuraient des choses à l'oreille. On aurait dit qu'elles n'avaient pas encore décidé si elles s'amuseraient ou non. Les autres et moi les observions pour savoir quelle attitude adopter.

Isabelle reporta son regard sur les ballons, les chapeaux, les flûtes, les petites faveurs, les serpentins, le jeu de l'âne accroché au mur, le joli tourne-disque bleu dans le coin, comme pour se rassurer. Puis, elle prit une inspiration pour se donner du courage et s'adressa à ses invités :

— Chacun va se choisir un chapeau pis une flûte, parce que c'est ma fête, pis que c'est moi qui décide qu'est-ce qu'on fait !

Les derniers mots furent dits sur un ton presque geignard.

J'étais la plus proche de la table aux chapeaux et je m'en choisis un ainsi qu'une flûte. Je soufflai timidement dans cette dernière qui se déroula lentement en émettant un couac nasillard. Ce son eut un effet irrésistible sur les autres qui n'avaient pas encore bougé. Ils se précipitèrent en même temps et le sous-sol ne fut bientôt qu'une cacophonie de couacs. Isabelle, ravie, monta sur une chaise et, les bras levés, dirigea le tout comme un chef d'orchestre. La fête était commencée.

L'apparition de Mme Landry en haut de l'escalier, les bras chargés d'un plateau de gobelets de carton remplis de Coke, de Seven Up et d'orangeade, interrompit le concert. Elle fut bientôt entourée d'une meute aux petites mains tendues. Elle se libéra en nous enjoignant de passer au buffet, une grande table recouverte d'une nappe de papier décorée des mêmes clowns que sur la carte d'invitation. Je goûtai à tout et m'émerveillai secrètement de tout ce qu'il y avait à manger : petits sandwichs coupés en triangle, chips de différentes saveurs, céleris remplis de fromage à la crème, bouchées de pizza, mini-saucisses, etc. Les jumeaux eurent tôt fait de s'attaquer au bol de crottes de fromage. Ils s'en mirent d'abord plein la bouche puis en recrachèrent la moitié par terre, ce qui nous amusa beaucoup. Excités par notre réaction, ils s'en introduisirent ensuite dans les narines et paradèrent en triomphateurs autour de la table. Nous poussâmes des cris stridents qui se transformèrent en cris de dégoût quand les deux clowns de la classe les retirèrent de leur nez pour les manger avec force grimaces de plaisir.

Le groupe semblait être en mouvement perpétuel et imprévisible ; des tyranneaux se succédaient rapidement à sa tête, mais les principaux chefs en étaient la fêtée, le trio des filles populaires et les jumeaux. Je me surveillais constamment pour être sûre de toujours être au bon endroit, au bon moment, mais je me détendis au fur et à mesure que l'après-midi progressa. Comme c'était agréable d'évoluer à l'unisson avec le groupe ! J'eus même droit à ma part de gloire quand, après avoir déclenché le concert de flûtes, je montrai aux autres comment faire coller des ballons au mur en les frottant sur sa tête.

La mère d'Isabelle, qui semblait un exemple parfait de maîtrise de soi au début de la fête, commença par porter ses mains à ses tempes à quelques reprises comme si elle essayait de retenir son masque de bienveillance maternelle qui commençait à glisser. À un moment donné, elle remonta les escaliers en courant pour appeler son mari à la rescousse. En effet, deux camps venaient de s'improviser et des olives et des cornichons étaient catapultés d'un bout de la pièce à l'autre. Avec l'apparition du père, le groupe retrouva un semblant de tenue. M. Landry avait apporté des chaises pliantes et décréta qu'il était l'heure d'une séance de chaises musicales. Isabelle ordonna à sa mère de mettre un disque des Beatles et la chargea du contrôle de l'aiguille. La musique était rapide et nous nous mîmes à graviter autour des chaises, les fesses tournées vers les sièges en poussant des cris d'excitation. Mme Landry, qui faisait dos aux joueurs pour ne pas être accusée de favoritisme, souleva l'aiguille une première fois. Une bousculade s'ensuivit et la fêtée fut la première éliminée. Elle faillit bouder, mais un seul regard de son père la ramena à l'ordre. Le jeu reprit avec encore plus d'entrain et, au fur et à mesure que le nombre de participants diminua, l'exaltation monta d'un cran. Je me sentais étourdie tellement je m'amusais. Je fus éliminée au quatrième tour.

Personne ne me vit quand je montai l'escalier pour aller aux toilettes. On était occupé à séparer les jumeaux qui en étaient venus aux coups dans le dernier tour de chaise musicale qui les avait opposés. Sylvain avait baissé le pantalon de velours côtelé de Louis et ce dernier avait arraché le nœud papillon de son frère. Ils se tenaient à présent les épaules et, comme les partenaires d'une danse étrange, ils se bottaient mutuellement le derrière en tournant, le visage rouge et furibond.

La maison silencieuse sentait la richesse et la sécurité. Les parquets vernis étaient immaculés et craquaient sous mes pas. Je pris le magnifique escalier de chêne pour monter à la salle de bains. Je ne pus m'empêcher de jouer un moment avec les robinets brillants. C'est la voix amusée du père d'Isabelle qui m'interrompit. Rouge et bafouillante, je m'essuyai les mains et je redescendis.

Dans le sous-sol, la fête battait son plein. Isabelle, les yeux brillants et les joues rouges, venait de s'attaquer aux cadeaux qu'elle développait furieusement, arrachant papiers et boucles. Elle les empilait négligemment à côté d'elle avant de s'en prendre aux suivants. Sa mère, agenouillée à sa droite, tentait de la ralentir et l'enjoignait fermement de dire merci à l'invité qui donnait le cadeau. Elle s'évertuait à trouver un commentaire positif pour chaque cadeau, comme s'il lui faisait plus plaisir qu'à sa fille de les recevoir.

— Oh, le beau petit journal avec une clé, comme ça personne peut lire ce que t'écris ! T'es chanceuse hein, ma Zazou ! As-tu vu le beau livre sur les papillons ? C'est Laurie qui donne ça ? Dis merci à Laurie, Isabelle !

Elle essayait de rassurer les enfants blessés de voir leurs cadeaux reçus avec indifférence. Je sentis mon cœur accélérer quand Isabelle s'empara du mien. Il me parut soudain misérable. Pourtant, le paquet de lanières de plasticine ne suscita ni plus ni moins de réactions que les autres cadeaux.

M. Landry dévala l'escalier en brandissant une drôle de boîte noire.

— Qui veut se faire photographier ? lança-t-il d'un ton enjoué.

— Moi, moi, moi fut la réponse unanime, alors que nous nous pressions tous autour de lui, la main levée.

— Chacun son tour. C'est une caméra Polaroïd, ça veut dire qu'on va pouvoir voir les photos tout de suite, continua-t-il d'un ton didactique.

À la mention du mot Polaroïd, nous éclatâmes tous de rire, comme si le père d'Isabelle venait d'inventer un mot ou, pire, d'utiliser un mot grossier. Les jumeaux s'emparèrent de ce mot étrange comme d'un trophée. Déchaînés, ils sautaient sur place et scandaient :

— On va faire un poraloïd, rapolaïd, un popolalaïd ! tandis que nous nous tordions de rire, la main devant la bouche.

La cote de popularité d'Isabelle venait de monter en flèche et elle jubilait. Elle se collait affectueusement à son père et lui lançait des regards pleins d'admiration pour bien nous signifier que c'était son père à elle. Il me semblait que j'allais assister à de la magie et, à ce moment précis, j'aurais juré une fidélité éternelle à Isabelle.

Isabelle fut la première photographiée. Un éclair puis un bruit métallique et la boîte noire tira une langue de carton, blanche et carrée, que M. Landry saisit et se mit à agiter. Groupés autour de lui, attentifs et fascinés, nous poussions des « oh ! » émerveillés quand le visage de sa fille se dessina sur le fond grisâtre. Vint ensuite le tour des jumeaux qui s'étaient réconciliés et refusèrent d'être photographiés séparément. Bras dessus, bras dessous, ils ne cessaient de faire des simagrées et, sur la photo, ils apparurent, les yeux exorbités et fous, le visage distendu.

Au fur et à mesure que mon tour approchait, je me sentais devenir de plus en plus énervée. J'étais prise entre la crainte de sentir le regard des autres posé sur moi et l'envie d'être moi aussi instantanément immortalisée. Je ne pouvais m'empêcher de me demander si la magie fonctionnerait sur moi aussi. Chaque fois que le père d'Isabelle criait : « Suivant ! », je m'écartais discrètement pour en laisser passer un autre. J'essayais de voir comment les autres faisaient, les poses qu'ils prenaient. Vint enfin un : « Suivant ! », auquel personne ne répondit. Tous les autres avaient déjà leur cliché à la main.

— Il reste Gigi ! cria Isabelle en me pointant du doigt.

Impossible de reculer. Je me postai devant le photographe, me sentant toute raide et ridicule devant l'appareil comme si mes membres ne m'appartenaient plus.

— On fait un beau sourire, c'est ça, le p'tit oiseau va sortir ! me dit-il d'un ton rassurant.

Mais au moment même où M. Landry appuya sur le bouton, Louis Brunel m'interpella en me faisant une terrible grimace qui me fit éclater de rire. M. Landry me remit mon cliché en m'indiquant de le secouer. Au bout de quelques secondes, les yeux rivés sur la surface grisâtre, je vis des formes se dessiner. Sylvain surgit derrière moi, m'arracha la photo et fit mine de ne plus vouloir me la rendre en la tenant à bout de bras au-dessus de sa tête.

— Donne-la-moi ! criais-je en sautant pour essayer de la lui enlever.

Je ne voulais absolument pas qu'il voie le résultat avant moi et ma voix frisait l'hystérie. Toutes les filles se liguèrent contre lui et Isabelle menaça de ne plus jamais l'inviter. Il me redonna la photo à contre-cœur.

Tous mes camarades se penchèrent dessus. J'avais été prise au moment où je tournais la tête vers Louis. Je riais, la bouche ouverte, et mes yeux, à demi fermés, étaient rouges, à cause du flash. En regardant la photo, une vague d'indignation et de refus me submergea. Incapable de me retenir, j'éclatai en sanglots. Il y avait erreur. Ce n'était pas moi. Non, ce n'était vraiment pas moi.

M. Landry consterné, accroupi devant moi, cherchait à comprendre ce qui me chagrinait tant. Mais j'étais incapable de proférer un mot. Il me proposa de recommencer la photo, ce qui me fit redoubler de pleurs. Mme Landry me donna un verre de Seven Up et m'installa sur le sofa. Je me calmai graduellement.

La fête autour de moi dégénéra. Les jumeaux, moins turbulents, le teint verdâtre, se plaignaient de maux de ventre. Tous deux régurgitèrent bientôt un liquide orange vif. Mme Landry s'occupa d'eux et M. Landry nettoya le plancher.

Une dispute éclata ensuite entre la fêtée et trois de ses invités qui l'accusaient d'avoir triché aux cartes. Dépitée, Isabelle voulut retenir ses invités qui s'en allèrent en même temps. Oubliée dans la cohue du départ, j'étais restée assise sur le divan avec la photo sur ma cuisse. C'est M. Landry qui me découvrit et proposa de me raccompagner chez moi. Je fis le trajet en tenant la photo dans la poche de mon manteau, la manipulant avec précaution comme s'il s'agissait d'un serpent venimeux.

Le lendemain, en route pour le parc, j'allai la jeter dans une bouche d'égout, sans même y jeter un dernier regard.

les menteurs

UN SAMEDI MATIN, JE VIS, EN TRAVERSANT LE COULOIR POUR ALLER À LA SALLE DE BAINS et en regardant par la porte entrebâillée de la chambre de ma mère, qu'un homme dormait dans son lit et que cet homme n'était nul autre que le père d'Isabelle, ma camarade de classe.

Ce n'était pas la première fois que je trouvais un homme dans le lit de ma mère, mais cette fois, en plus de la rage possessive qui m'animait chaque fois que ma mère cessait de m'appartenir exclusivement, je ressentis un étrange dégoût, entremêlé de culpabilité, puisque c'était à cause de moi qu'ils s'étaient rencontrés.

En me raccompagnant après la fête de sa fille, il était monté jusqu'à la porte de l'appartement et j'avais été choquée de voir ma mère prendre l'initiative de l'inviter pour une tasse de thé, et encore plus scandalisée d'entendre M. Landry accepter son offre. Pour manifester ma désapprobation, j'étais allée bouder dans ma chambre.

Il était reparti au bout d'une demi-heure en prenant la peine de s'arrêter dans l'embrasure de ma chambre pour me dire au revoir. J'avais tout juste eu le temps de saisir un Tintin pour me donner une contenance. Je lui avais décoché un regard, selon moi, clair et sans équivoque : « Touche pas à ma mère, elle est à moi toute seule, ne remets plus les pieds ici, sinon... »

Un mois plus tard, ma mère était revenue de l'épicerie et m'avait annoncé d'un ton excité qu'elle avait rencontré M. Landry, Jacques comme elle l'appelait, et qu'il avait accepté son invitation à une soirée qu'elle donnait le vendredi suivant.

Je fus terriblement alarmée, quand la fameuse soirée vint, de voir le père d'Isabelle, une bière à la main, vêtu d'un jean et d'un col roulé en train de discuter avec les amis de ma mère comme si de rien n'était ! Avait-il oublié sa femme et sa fille ? Sa belle maison cossue ? Comment se faisait-il qu'il puisse oublier si facilement le rôle de père qu'il jouait pourtant de façon si convaincante le jour de la fête de sa fille ? Je passai la soirée à tourner autour de la table et à jouer avec les cigarettes allumées, à déplacer les bouteilles de bière et à faire des piles de bouchons, l'air distrait, vaguement ennuyée, alors qu'en réalité j'écoutais les conversations des adultes, buvais leurs paroles et les observais attentivement.

Quelques semaines passèrent et je me persuadai que M. Landry et ma mère n'avaient rien fait de mal en fin de compte. Je m'imaginai même que Mme Landry et ma mère se connaissaient et qu'elles étaient de bonnes amies.

Ce samedi matin-là, je retournai à toute vitesse me réfugier dans ma chambre avec une tartine et un verre de lait. Comment réagir ? Je mangeai en guettant les bruits de la pièce voisine. Devais-je me montrer à M. Landry ou devais-je faire semblant d'ignorer sa présence ? Je n'eus pas le temps de trancher. J'entendis des murmures et des pas qui descendaient rapidement l'escalier et je compris qu'il venait de partir.

Ma mère m'appela de sa chambre. Elle s'était recouchée et me tendait deux dollars pour le journal et des cigarettes. À sa façon de tenir les couvertures, je sus qu'elle était nue.

Elle ne fit, de toute la fin de semaine, aucune allusion à son visiteur nocturne malgré mes regards appuyés. Elle me toisait à son tour d'un air qui voulait dire : « Ne me juge pas, je fais ce que je veux ! Tu n'es pas ma mère ! »

Le lundi suivant, à l'école, je me sentis pâlir en voyant Isabelle. J'essayai de deviner à son comportement si elle savait la même chose que moi, mais j'en déduisis rapidement que non. Tout au long de la journée, je me surpris à l'observer en répétant dans ma tête ce que je savais et ce qu'elle ignorait. Je fis en sorte de toujours me retrouver près d'elle pendant les différentes activités de la journée. Je lui fixais alors le derrière de la tête ou l'oreille, avec intensité, comme si je voulais lui transpercer le crâne et je criais tout haut dans mon esprit : « Ton père et ma mère couchent tout nus dans le même lit ! » Je regardais ensuite Isabelle pour vérifier si elle avait entendu ma voix. Mais non. Isabelle ne captait pas mes signaux secrets et continuait ses activités, libre et innocente.

Au fur et à mesure que la semaine progressa, je devins obsédée par cette affaire. Le silence qui l'entourait me déroutait. Comme je ne pouvais parler à personne de ce qui s'était passé, je m'imaginai toutes sortes de dénouements spectaculaires pour trouver du réconfort. Un, en particulier, s'imposa à mon esprit et je m'y accrochai comme à une bouée : d'un jour à l'autre, M. Landry allait revenir nous prendre, ma mère et moi, pour nous installer dans sa riche maison. Une seule ombre au tableau : Isabelle, sans oublier sa mère. Dans ces rêveries éveillées, il m'était difficile de décider de leur sort. D'une fois à l'autre, je les faisais disparaître comme par enchantement, comme si elles n'avaient jamais existé. D'autres fois, je me sentais forcée de m'intéresser à leur sort, et j'essayais de trouver des solutions qui nous eussent toutes satisfaites. Dans ces scénarios, quelquefois Isabelle restait dans la grande maison avec nous et devenait ma sœur adoptive. Mais cette idée me plaisait plus ou moins, car j'imaginais facilement qu'elle demeurerait la préférée de son père et qu'elle bénéficierait ainsi de toutes sortes de privilèges, sans compter que je ne pouvais concevoir de partager ma mère. Et puis, il y avait le problème de sa mère à elle : il était hors de question que les deux femmes cohabitent et d'ailleurs, en passant la nuit avec ma mère, M. Landry n'avait-il pas démontré qu'il la préférait à sa femme ? Il ne voulait certainement plus de celle-ci. Mais il eût été également impossible et trop cruel de séparer Isabelle et sa mère.

La semaine se passa sans qu'aucun changement ne s'annonce : ma mère demeurait la même, Isabelle aussi.

Au début de la semaine suivante, je décidai de me rapprocher d'elle. C'était la moindre des choses, puisque nos destins étaient irrémédiablement liés ; et cela me permettrait sans doute d'en apprendre davantage, pensais-je.

Il fut facile de séduire Isabelle. Je m'arrangeai pour me retrouver près d'elle pendant la séance d'arts plastiques où toute la classe s'apprêtait à peindre une murale représentant les quatre saisons. Je lui fis un compliment sur l'arbre qu'elle dessinait et je lui demandai la permission d'ajouter un écureuil sur une de ses branches. Elle accepta sans hésitation.

Je m'aperçus rapidement qu'Isabelle était un peu bête, une compagne plus que médiocre. Elle parlait beaucoup trop, et surtout d'elle-même. Elle était mauvaise perdante et elle n'hésitait jamais à modifier les règles d'un jeu auquel elle perdait ou, même, à carrément tricher. Quand elle voyait dans les yeux de l'autre qu'elle était allée trop loin, elle prétextait ne pas l'avoir fait exprès ou elle promettait une quelconque récompense pour se faire pardonner : « Aimes-tu la réglisse rouge ? Si tu restes avec moi, on va aller s'en acheter tout un sac après l'école. » Ou encore : « Si tu viens chez nous, je vais te donner mon jeu de poches », et ainsi de suite, jusqu'à ce qu'elle ait raison de la résistance de l'autre. Elle savait que chacun de nous avait un prix. Le mien était bas, comme elle put le constater au cours de cette semaine, car je fus d'une patience extrême avec elle. Elle était si sûre d'elle qu'elle ne se demanda jamais ce qui me poussait à me soumettre à tous ses caprices et à ne rien exiger en retour.

Cependant, malgré mes efforts, je n'appris rien au sujet de l'affaire qui me préoccupait. Ainsi, quand elle m'invita chez elle, le vendredi suivant, soit deux semaines après le passage de M. Landry chez nous, j'acceptai, jugeant que ce serait le meilleur moyen de voir où en étaient les choses.

Cela me fit tout drôle de pénétrer dans cette demeure, bientôt la mienne ! Comme c'était beau et riche et propre ici. Tout m'enchantait. Il y avait de vrais tableaux aux murs alors que, chez moi, seules quelques affiches tenaient par des punaises de couleur. Il n'y avait pas non plus de chatons de poussière qui roulaient dans le coin des pièces. Le réfrigérateur blanc et moderne regorgeait de nourriture. Le nôtre était un vieux modèle aux angles arrondis et il n'avait jamais été aussi plein. Isabelle m'offrit une collation. Je n'avais jamais vu un tel choix : quatre sortes de biscuits, du gâteau, des tablettes de chocolat. J'optai pour le chocolat et un grand verre de lait. Isabelle me vantait sa collection de Barbies qu'elle allait me montrer, mais je ne l'écoutais que d'une oreille, tout absorbée que j'étais à essayer de me sentir chez moi. Je ne pouvais m'empêcher de plisser les yeux pour mieux m'imprégner du décor. J'humais la bonne odeur du linoléum ciré, du chocolat. Agacée, Isabelle me tira la manche : « Tu m'écoutes pas Gigi ! Viens, on va monter dans ma chambre. » Là, je m'agenouillai sur la moquette moelleuse. Toute la pièce était décorée de mauve et blanc. J'étais dans un rêve. Isabelle me montra toutes ses possessions. J'approuvais de la tête, grisée par toutes ces belles choses qui allaient bientôt m'appartenir.

Le soir commençait à tomber quand le bruit d'une voiture se fit entendre. J'allai à la fenêtre. C'était M. et Mme Landry. Ils portaient des paquets et sans que je parvienne à saisir leurs propos, je remarquai qu'ils parlaient sur un ton familier et même affectueux. Ce ton me fit l'effet d'une gifle.

Et mon rêve s'écroula comme un château de cartes. Je compris aussitôt que M. Landry n'avait jamais eu l'intention de quitter sa femme pour ma mère. Qu'il n'avait jamais été question que nous déménagions dans sa belle maison. Ma mère, M. Landry, Isabelle, sa mère, tous des menteurs. Je me sentis rougir de honte et de colère à la fois. Il fallait que je parte sur-le-champ. Isabelle n'avait pas cessé de babiller derrière moi ; je l'interrompis : « Il faut que je parte, ma mère m'attend. »

Sans attendre sa réaction, je dévalai l'escalier et je m'enfuis par la porte d'en avant. Derrière moi, j'entendis la voix de

M. Landry qui appelait sa fille. Mon sang bouillait du désir d'être méchante.

Un soir, à la fin des classes, j'allai me poster dans la cour pour surveiller la porte de sortie. Isabelle parut et traversa la cour. Elle passa près de moi sans me voir. J'attendis qu'elle soit suffisamment éloignée puis, prenant mon élan, je courus derrière elle et je lui administrai un grand coup de pied au derrière. Je ne m'arrêtai pas et je repartis à toute vitesse dans l'autre direction.

loulou,
la guidoune

— Y'A PERSONNE, DÉCLARA PAUL D'UN TON FERME.

Accroupie à ses pieds, juste en dessous de la fenêtre, j'attendais son signal, une main sur le petit bonhomme carnaval de plastique qui pendait de la fermeture de mon habit de motoneige bleu marine. C'était pour me rassurer, parce que mon cœur battait très fort. Je n'avais jamais rien fait d'aussi dangereux, mais j'obéissais aveuglément à Paul, mon cousin et mon chef.

Le plan qu'il avait conçu consistait à pénétrer chez Louise Turcotte, dite Loulou la guidoune, qui habitait l'appartement au-dessus de chez ma grand-mère. Je ne savais pas ce qu'était une guidoune. Personne ne voulait m'en donner la signification exacte. Pour moi, ce sobriquet faisait référence à la façon particulière de s'habiller de Mlle Turcotte : une manière extravagante qui ne manquait jamais d'attirer l'attention lorsqu'elle sortait de son appartement. Les hommes sifflaient et klaxonnaient, les enfants et les femmes la montraient du doigt. Derrière cela, pourtant, je sentais confusément qu'il y avait autre chose, quelque chose qui faisait un drôle d'effet aux adultes des deux sexes.

La première fois que je l'avais aperçue, j'avais à peine cinq ans et j'étais en train de creuser la terre en dessous de la galerie avec une cuillère. C'était l'été et un bruit de pas m'avait tirée de mon repaire frais et humide. J'avais été éblouie par la créature qui descendait l'escalier. Elle était vêtue d'une mini-jupe noire, d'un petit chandail à manches courtes bleu bébé et chaussée de bottes plate-forme en cuirette noire. Elle avait des yeux comme Cléopâtre. Mais c'est sa chevelure qui m'avait le plus impressionnée, une chevelure noire, épaisse et haute comme le casque en fourrure des soldats de la reine d'Angleterre.

Je m'étais peu à peu habituée à la voir apparaître au haut de l'escalier. Elle me souriait gentiment et partait faire ses courses dans la rue principale. Là, elle visitait chaque magasin, parcourant méthodiquement les deux côtés de la rue. Je l'avais moi-même croisée à plusieurs reprises quand j'accompagnais mes tantes, mes cousines ou ma grand-mère chez Croteau, chez Rossy, à la mercerie Toupin, à l'épicerie Berthier. Elle nous saluait d'un signe de tête auquel mes tantes ou ma grand-mère répondaient à contrecœur, puis elle reprenait ses fouilles méthodiques dans les piles de vêtements de l'étalage. Une fois, chez Croteau, Mlle Turcotte m'avait sauvé la vie. Je m'étais perdue et je parcourais les allées sans retrouver ni ma grand-mère ni mes cousines. Cédant à la panique, j'avais éclaté en sanglots entre deux rangées de manteaux d'hiver, hautes et denses comme les forêts de contes. Mlle Turcotte m'était apparue et m'avait gentiment raccompagnée à l'appartement. Ma grand-mère et mes cousines nous avaient retrouvées quelques minutes plus tard, assises dans les escaliers.

C'étaient les femmes qui l'avaient baptisée Loulou la guidoune, même si personne ne l'avait jamais vue en compagnie d'un homme. Elles avaient lancé la rumeur sans se préoccuper de la vérifier ; la seule possibilité qu'elle en soit une leur suffisait amplement.

Un jour que ma grand-mère et mes deux tantes épluchaient des patates, assises autour d'une grosse casserole posée au centre de la table de cuisine, le sujet de conversation en était venu aux plus belles femmes du pays. Elles avaient lancé tour à tour les noms de Michèle Richard, Danièle Ouimet, Renée Martel, les filles de Mme Toupin, Josée et Louise de la mercerie Toupin ; les noms déferlaient au rythme des patates qui tombaient dans l'eau avec un ploc sourd.

— Vous oubliez Mlle Turcotte, avais-je lancé d'en dessous de la table où je jouais avec ma Barbie, toute fière de leur signaler ce nom important qui manquait à leur

énumération et qui l'emporterait sûrement
sur les autres. Elles avaient toutes éclaté de
rire.

— Oh, non, Mlle Turcotte est pas belle,
c'est pas une belle femme, ça. Non, non, ma
Gigi, oublie ça, tu te trompes, là.

Mais j'avais insisté, entêtée et sûre de
moi, au bord des larmes. Elles m'avaient re-
mise à ma place. Catégoriques, presque fâ-
chées. C'était ma première leçon d'esthétique
par les femmes de ma famille. À partir de ce
moment-là, je me mis à dénigrer Mlle Turcotte en public, tout en l'admirant secrètement. Petite langue de vipère en herbe, je lui
souriais admirativement quand je l'aperce-
vais, puis je courais voir ma grand-mère ou
mes tantes. La plupart du temps, je n'avais
rien à rapporter ; mais j'amusais mon clan en
leur décrivant avec force grimaces ce que
Loulou portait ce jour-là.

Mon cousin Paul et moi étions insépa-
rables à cette époque. Il avait trois ans de
plus que moi et, comme les miens, ses parents étaient divorcés, ce qui nous conférait
au sein de la famille un statut de marginaux.
Je le vénérais et il me laissait le vénérer.

Paul partageait ma fascination pour la
voisine du dessus. Mlle Turcotte était pour
lui une énigme ambulante qu'il était déter-
miné à résoudre. Et cette énigme, je le sen-

tais bien, avait trait à ce mot mystérieux :
guidoune. Mais c'était surtout une occa-
sion pour lui de jouer à l'espion et de la
suivre régulièrement. Il n'était pas rare que
je me fasse agripper par Paul, un doigt sur
la bouche, l'air conspirateur, entre deux
rangées de vêtements dans un magasin.
Quand ma grand-mère et mes tantes tombaient sur lui, accroupi au détour d'un
comptoir, elles le traitaient d'escogriffe, de
snoraud, croyant que c'était elles qu'il
espionnait. Moi, j'étais toujours ravie de
retrouver Paul. Des fois même, il me confiait
des missions d'espionnage qu'il ne pouvait
remplir lui-même. Celles-ci consistaient
surtout à lui faire des rapports sur les allées
et venues de Mlle Turcotte. Je devais con-
signer mes observations dans un cahier
caché en permanence dans un interstice
entre deux planches vermoulues du cabanon, derrière la maison.

J'adorais ce sentiment de faire quelque
chose d'important et utile. Au fil des saisons,
cependant, Paul s'était graduellement lassé
de l'espionner et il s'était mis à me convaincre et à se convaincre lui-même qu'il fallait
tenter l'ultime, soit pénétrer chez Mlle Turcotte pour recueillir de vraies informations.

Il avait été facile de subtiliser les clés de
l'appartement de Mlle Turcotte à grand-

maman qui ronflait sur le divan. Elle gardait les doubles de toutes les clés dans le placard à balais, accrochées à des clous numérotés. Elle ne s'était aperçue de rien.

On était dans la semaine entre Noël et le jour de l'An et, quelques jours plus tôt, Paul et moi avions vu Mlle Turcotte monter dans un taxi avec un sac de voyage. Elle avait d'ailleurs averti ma grand-mère qu'elle allait dans sa famille pour le temps des Fêtes. Malgré cela, j'avais insisté pour que Paul regarde par la fenêtre pour bien s'assurer de son absence et, pour me rassurer davantage, il cogna même quelques coups dans la porte avant d'introduire la clé et de tourner la poignée. Nos yeux mirent quelques secondes avant de s'habituer à la pénombre. Puis le modeste intérieur nous apparut : une table de cuisine où trônait un bol avec des fruits de plastique, des chaises de métal et de vinyle beige et, au mur, un calendrier du garage Trudeau représentant un Christ dont le cœur écarlate irradiait sa robe bleu pâle. Paul essuya ses pieds sur la carpette et je l'imitai docilement. Nous nous dirigeâmes vers la chambre à coucher. Le seul bruit audible était le frottement de nos habits de moto-neige.

On ne voyait rien, et Paul remonta le store à franges qui s'enroula et claqua bruyamment. Sur une commode, au fond, cinq têtes chevelues nous regardaient placidement. Je retins un cri et je m'enfouis le visage dans le dos de Paul qui, lui, éclata de rire.

— Ben, non Gigi, aie pas peur, c'est rien que des perruques sur des têtes en styrofoam, me dit-il en me forçant à regarder vers la commode où elles étaient toutes alignées.

Nous nous approchâmes avec précaution.

— Tiens, tu vois, elles vont pas te mordre, dit-il en tendant sa main vers la plus proche. Loulou la guidoune qui porte des perruques, c'est grand-maman qui n'en reviendra pas ! murmura-t-il en jouant avec la cascade de boudins noirs en nylon.

J'étais sidérée. Ces cheveux que j'admirais tant étaient artificiels ! Je vis à l'expression de Paul qu'il était déçu sans même avoir fait tout le tour du propriétaire. Le mystère de Mlle Turcotte s'évaporait sous ses yeux.

Pour chasser sa déception, Paul enleva sa tuque de hockey et se coiffa d'une des perruques. Debout, devant le miroir, il me fit des grimaces qui me firent éclater de rire. Et plus je ris, plus Paul se démena pour me faire rire.

— Arrête !

Malgré mes supplications, il se mit à danser comme un possédé dans la chambre en m'envoyant des baisers. D'un bond, il revint à mes côtés, et me déposa une perruque sur la tête sans prendre la peine de baisser mon capuchon. En m'apercevant dans le miroir coiffée d'un gros casque de poils noirs, il s'écroula sur le plancher en se tenant les côtes. Incapable de me retenir plus longtemps, les jambes croisées, j'urinai dans mon costume de neige. Paul se redressa sur son séant, comprenant à mon expression penaude, mais soulagée, ce qui venait se produire. Puis il retomba en arrière en riant aux éclats. Au bout de quelques minutes, enfin calmés, nous replaçâmes les perruques sur les têtes blanches. Mes bottes étaient pleines d'urine et, en gravissant les marches, main dans la main avec Paul, je me demandais quelle excuse je donnerais à grand-maman.

Ce fut notre dernière mission, à Paul et moi. Quand je revins, à l'été suivant, il ne s'intéressait plus à Mlle Turcotte. Personne d'ailleurs ne s'intéressait plus à elle. La lutte aux guidounes était dorénavant interne : c'étaient mes cousines, maintenant adolescentes, que mes tantes et ma grand-mère devaient surveiller et critiquer.

Quant à Paul, je passais des après-midi assise dans les escaliers à l'attendre. Puis brusquement, je compris. Paul et moi n'étions plus dans le même camp.

Résignée, j'allai rejoindre mes cousines.

album
de famille

JE RETOURNAI PASSER UN SECOND ÉTÉ À LA CAMPAGNE, CHEZ MA TANTE. Les lapins étaient tous morts au printemps, victimes d'une épidémie. Les poules avaient été données à un cultivateur du coin et le coq, devenu méchant, avait été tué. Ce fut un été orageux et maussade. Les journées s'annonçaient belles, mais dégénéraient rapidement et nous nous retrouvions enfermés dans la maison à guetter les éclaircies. Ma tante marchait dans son potager, se penchant de temps en temps sur ses laitues qui refusaient de pousser. Je voyais bien à son air désemparé que son rêve de retour à la terre s'érodait à chaque averse.

Un coup de téléphone inattendu vint nous tirer du marasme qui nous emprisonnait tous. C'était une amie de ma tante qui était assistante-réalisatrice à la télévision. Elle voulait faire un reportage sur la vie à la campagne et elle avait pensé à ma tante. Cette dernière accepta immédiatement et nous annonça la nouvelle en sautant de joie comme une petite fille. Nous allions passer à la télé !

Mais ce nous m'incluait-il ? Je ressentis un vertige de jalousie à l'idée d'être exclue, mais je me retins de formuler mes inquiétudes à voix haute.

— J'ai une bonne nouvelle pour toi, dit ma tante enthousiaste, à son mari, de l'autre côté de la moustiquaire.

Il détestait les surprises, et son visage parut se rétracter. Ce fut la première fois que je le vis avoir une réaction spontanée qui n'en était pas une de colère. Il ne put s'empêcher d'éclater de rire en répétant : « La télé, chez nous ? »

Ma tante riait et hochait la tête d'un air victorieux. Le déménagement n'avait pas été une si mauvaise affaire, la preuve : on allait les récompenser. Cette émission, pour elle, c'était comme un sceau d'approbation.

Les jours qui suivirent disparurent dans un tourbillon d'époussetage. Ma tante semblait en lutte perpétuelle avec le tuyau de l'aspirateur qui ressemblait à un gros python incontrôlable dont le sifflement nous chassait automatiquement à l'extérieur. Elle s'arrêtait de temps à autre et considérait l'intérieur de sa maison, les yeux plissés, comme un directeur-photo, évaluant tous les plans possibles.

Le matin de l'enregistrement de l'émission, il pleuvait à boire debout. Ma tante nous interdit de sortir de peur que nous nous salissions. J'avais moi-même choisi de mettre mes vêtements les plus propres pour l'émission. J'avais décidé de faire comme si moi aussi j'allais être filmée avec les autres, même si une certaine logique voulait que je sois exclue ou, du moins, reléguée au second plan, car je ne faisais pas partie du noyau familial principal. Postés à différentes fenêtres de la maison, nous faisions le guet, fébriles et nerveux.

— J'les vois, ils arrivent ! s'écria Denis, alors que deux camions et une voiture débouchaient dans la cour.

Ils arrivaient avec presque deux heures de retard, juste au moment où mon oncle commençait à percevoir ces inconnus de la télé comme des ennemis potentiels, des saboteurs de journée. Un homme et une femme coururent sous la pluie jusqu'à la porte d'entrée tandis que trois autres gaillards s'affairaient à ouvrir les portes des camions. Ma tante nous présenta à son amie Marjolaine, l'assistante-réalisatrice, et celle-ci nous présenta le réalisateur, un dénommé Jean-Pierre Trudel qui scrutait les alentours d'un air pensif. Immobiles et crispés, ma tante et mon oncle semblaient attendre des compliments qui ne venaient pas.

Le réalisateur ressortit brusquement parler aux hommes qui s'affairaient autour des camions, puis il fit signe à son assistante qui s'empressa d'aller le retrouver. Leur discussion dura quelques minutes. Nous étions cloués devant la fenêtre, comme devant un écran de télévision dont le volume aurait été baissé. Marjolaine, rentra et annonça à ma tante que le réalisateur partait visiter les fermes avoisinantes parce que la maison ne correspondait pas à ce qu'il voulait ; il n'y avait pas d'animaux, de vaches surtout, précisa-t-elle. L'oncle Marc foudroya sa femme comme s'il la jugeait responsable de tout cela. Denis, qui prenait toujours la part de son père, fit une grimace dans le dos de l'assistante-réalisatrice.

Vers 14 heures, nous nous entassâmes dans la voiture et mon oncle suivit les camions de la télé jusqu'à la ferme Tremblay dont le nom apparaissait sur le silo rouge et blanc. Le cultivateur avait accepté qu'on filme dans son étable. En y entrant, la puissante odeur nous fit éclater de rire. Et boucher notre nez. Quand les projecteurs s'allumèrent, le réalisateur nous fit signe à mes deux cousines et moi. Mon sang ne fit qu'un tour. Il nous plaça de chaque côté d'une génisse brune et nous conseilla de rester simples et naturelles. Il nous fit répéter nos noms, puis il exigea le silence. En guise de réponse, des vaches meuglèrent et secouèrent leur chaîne. Il adressa la première question à ma cousine Lysiane :

— Toi, Lysiane, qu'est-ce que t'aimes dans la vie à la campagne ?

— Oh, moi, j'aime me promener dans les champs, écouter le chant des p'tits oiseaux, fit-elle avec l'accent qu'elle prenait quand elle essayait de m'imiter.

Soudain, la perche fut sous mon menton :

— Moi, j'aime ça à cause des animaux. J'aime les toucher, les sentir, fis-je en flattant l'échine de la vache avec conviction, même si c'était la première fois que je touchais une vache de ma vie. Devant moi, le réalisateur hocha la tête avec satisfaction.

Ce fut ensuite le tour de mon oncle et de Denis dans une scène muette. Ils devaient marcher main dans la main, puis entrer dans l'étable. Ils durent la refaire trois fois parce que Denis était incapable de s'empêcher de regarder la caméra, comme subjugué par son œil noir. Ma tante, elle, dut faire semblant d'examiner des radis dans le potager. Elle s'agenouilla avec beaucoup de grâce, les sourcils froncés, comme s'il s'agissait d'une opération extrêmement délicate, voire dramatique.

J'étais surexcitée, mes craintes s'étaient évanouies. J'allais effectivement passer à la télé ! Le réalisateur et son assistante semblaient ne pas se soucier du fait que je n'étais que la cousine de la ville. J'avais hâte qu'on me rappelle devant la caméra. On nous accorda du temps pour aller manger. À notre retour, l'équipe de télévision terminait quelques prises de l'extérieur. Ils remballèrent tout leur matériel et nous donnèrent rendez-vous chez ma tante et mon oncle, où ils allaient tourner quelques scènes d'intérieur.

Dans la première, ma tante accueillait son mari, de retour de sa longue journée de travail. Ils furent tous deux beaucoup plus affectueux et démonstratifs qu'ils ne l'étaient à l'habitude, et s'embrassèrent longuement sur la bouche. Mes cousines ne purent s'empêcher de glousser en les voyant, tandis que Denis faisait semblant d'avoir un haut-le-cœur devant ce spectacle qu'il trouvait indigne. Enfin, le réalisateur eut l'idée de leur faire laver la vaisselle et de les laisser jaser « comme ils le feraient normalement ». L'assistante lui proposa plutôt de filmer Denis et son père en train de laver la vaisselle. Denis essuierait tandis que son père laverait. Cette proposition me fit bondir. Denis et mon oncle n'avaient jamais lavé la vaisselle de leur vie. Mais le réalisateur acquiesça à l'idée de Marjolaine. Quand mon oncle, installé devant l'évier, dut l'emplir d'eau, il se tourna vers ma tante, parce qu'il ne savait pas où étaient le savon, les linges et la lavette. Déterminée, j'allai droit sur M. Trudel et le tirai par la manche :

— Ils l'ont jamais faite la vaisselle, c'est pas vrai que ça se passe comme ça ! dis-je outrée.

Le réalisateur parut surpris, puis amusé, et me tapota affectueusement la tête :

— C'est pas grave, c'est pas grave, rétorqua-t-il.

Je crus qu'il ne m'avait pas bien comprise.

— Non, mais, c'est toujours ma tante, pis moi, pis mes cousines, d'habitude pour la vaisselle. Ils y touchent jamais, jamais, eux ! Ils font jamais rien dans la maison, même ! repris-je avec insistance. Mais il hocha la tête et me tourna le dos.

Je me mis à bouder. En fait, je brûlais de jalousie parce que Denis avait plus de scènes filmées que moi.

— La télévision, c'est niaiseux, murmurai-je à l'oreille de Lysiane, qui approuva, elle aussi.

Quand Denis et son père eurent terminé de faire semblant de laver la vaisselle, les projecteurs s'éteignirent et les hommes commencèrent à remballer leur matériel. C'était fini. Le réalisateur remercia mon oncle et ma tante qui paraissaient tous les deux un peu hébétés. Au moment où l'équipe sortait, mon oncle se ressaisit et demanda quand l'émission allait être en ondes : « Fin août début, septembre », fut la réponse laconique.

Fin août début septembre ! C'était loin, ça n'avait aucun sens.

La routine estivale reprit. Le temps ne s'améliora pas vraiment et nous nous attaquâmes au casse-tête de mille morceaux que j'avais apporté l'année précédente.

Mon oncle, lui, rentrait de plus en plus tard le soir. À l'heure du souper, l'angoisse de ma tante était palpable.

Un soir, des éclats de voix me réveillèrent : ma tante et mon oncle se disputaient âprement. J'écoutai pour voir si mes cousines les entendaient, mais leur respiration demeurait régulière. Les disputes nocturnes revinrent de plus en plus souvent. Elles me faisaient revivre d'anciennes terreurs que j'étais incapable de nommer ni même de dater.

Le jour venu, ma tante et mon oncle tentaient de faire comme si de rien n'était. Mais rien n'allait plus. Tante Marie nous chassait de la maison sous prétexte qu'elle faisait le ménage, mais c'était pour pleurer en paix. Elle mettait de plus en plus de temps à s'habiller le matin et se recouchait souvent dans la journée. Mes cousines et mon cousin me faisaient penser à des insectes désorientés qui se butent continuellement à une fenêtre fermée.

Vers la fin des vacances, ma tante reçut un appel de Marjolaine qui lui annonça la date de diffusion de l'émission.

— Au moins, ça va nous faire un beau souvenir de famille, dit tante Marie, en regardant autour d'elle.

Et donc, un soir de septembre, ma mère et moi nous installâmes devant notre petite télé noir et blanc. Ma mère avait fait du pop-corn et avait acheté du coke. Nous avions apporté des ciseaux et un couteau pour mettre sur l'antenne si la télé commençait à faire des siennes. Nous avons applaudi quand le générique de l'émission commença. Il y eut d'abord un reportage sur la culture de champignons, puis une pause commerciale. Au retour, l'animateur parla du retour à la terre de nombreuses familles québécoises, qui sortaient de la ville pour faire l'expérience de la vie à la campagne. Ma mère me tenait le bras. Mon cœur battait très fort.

Aux premières images de ma tante dans son jardin, ma mère se mit à rire.

D'abord doucement, comme une vague qui roule sur la plage, son rire allait, venait, renaissait, s'éteignait, et repartait de plus belle au fur et à mesure que les images défilaient. Bientôt, elle rit à gorge déployée, d'un rire fou et incrédule à la fois, comme si elle était elle-même surprise de rire tant. Je n'avais jamais vu ma mère rire de cette manière et son hilarité contagieuse me gagna moi aussi. Nous avons ri à en avoir mal au ventre et je gardai longtemps en mémoire l'écho de ce fou rire de ma mère, sans jamais comprendre ce qui l'avait tant amusée.

l'instrument

MES CONTACTS AVEC MON PÈRE SE RÉSUMAIENT À QUELQUES CARTES DE SOUHAITS IRRÉGULIÈRES. Invariablement, ma mère me tendait l'enveloppe sans dire un mot et me regardait l'ouvrir. Elle attendait de voir s'il y avait un chèque. Il n'y en avait pas toujours.

Au fil des années, il avait oublié la date exacte de ma naissance et se contentait de faire des envois de plus en plus approximatifs. On en était à quelques semaines de l'anniversaire de mes dix ans, lorsque je reçus une boîte par la poste.

J'essayais de contrôler mon excitation devant ma mère en l'ouvrant. Au milieu d'espèces de cacahuètes de polystyrène blanc, je tombai sur un étui rectangulaire de cuir noir. Je l'ouvris. Ma mère et moi restâmes interdites devant le bel instrument qui brillait dans son écrin de velours bleu. C'était une flûte traversière, démantelée en trois morceaux. Je ne savais pas en jouer ; qui plus est, je n'avais jamais manifesté le moindre désir d'apprendre à jouer d'un instrument, flûte ou autre. Ma mère se ressaisit plus vite que moi et entreprit de fouiller le fond de la boîte. Elle trouva une carte qu'elle me tendit. J'y lus : *Bonne fête à ma musicienne préférée !* Qui donc était cette musicienne ? me demandai-je, perplexe.

Ma mère se mit à rêver. Le visage radieux, elle me parla de l'orchestre symphonique. De la place qui m'attendait à l'avant de l'orchestre, de la petite robe de velours noir qu'il faudrait m'acheter. Je l'écoutais docilement, fascinée par la joie qu'elle semblait ressentir en rêvant à voix haute. J'avais le pouvoir de la rendre heureuse, il n'en tenait qu'à moi. Sans perdre de temps, elle me trouva un professeur diplômé du conservatoire et commença à économiser pour payer les leçons et acheter une méthode.

C'est ainsi qu'un lundi soir, quelques semaines plus tard, je quittai la maison, étui en main et méthode sous le bras, en route pour ma première leçon de flûte. Dans la rue, j'exhibai, mine de rien, mon instrument et il me semblait qu'on me regardait avec un œil plus respectueux, voire admiratif. J'étais enfin une bonne petite fille. Et peut-être bien que j'étais vraiment une grande musicienne ? Peut-être que mon père avait vu en moi des qualités et des talents que je ne me connaissais pas encore ?

Arrivée chez le professeur, je tremblai en appuyant sur la sonnette. Un grand garçon blême et maigre me fit entrer. Son appartement était sombre et sentait l'encens.

Pendant la première demi-heure, il essaya d'un ton sec de m'inculquer des notions de musique, mais je n'y comprenais rien. Je n'osai pas le lui avouer, me contentant de hocher la tête comme si tout était clair comme de l'eau de roche. Cependant, il me prit de court, en me demandant de lui répéter ce qu'il venait de m'expliquer. Confuse et humiliée, je dus admettre que je n'avais quasiment rien saisi ou retenu de ce qu'il venait tout juste de me dire. Il soupira rageusement et s'évertua, pendant le reste de la leçon, à m'apprendre à produire un son de flûte, mais je ne réalisai que quelques « pffftt » désespérés.

Ma mère m'attendait avec impatience. Je n'eus pas le courage de lui dire la vérité. « Ma leçon s'est très bien passée, ai-je menti ; le professeur a même été impressionné par la vitesse à laquelle j'apprenais. » En voyant son sourire heureux, il me sembla presque que tout ce que je venais d'inventer était vrai. En réalité, je ne retenais rien d'une semaine à l'autre et le professeur s'impatientait de plus en plus. Je continuais cependant de rassurer ma mère sur ma progression.

Un jour, cependant, le professeur s'emporta et me traita de petite gourde. Foudroyée, les yeux pleins de larmes, je réalisai combien je détestais la musique et je compris que je ne serais jamais musicienne.

J'eus peu à peu l'impression d'être prise dans un étau. Le seul moyen que je trouvai pour en desserrer l'étreinte fut de me rebeller silencieusement. Je cessai toute pratique. Ma mère se mit à me talonner pour que je m'exerce tout en me répétant continuellement combien j'avais de la chance de pouvoir apprendre un instrument, rêve qu'elle n'avait jamais pu réaliser. Elle commença d'abord par me le faire remarquer doucement, d'un ton qu'elle voulait encourageant. Puis, devant mon refus d'obtempérer, son ton se raffermit. Au bout d'une semaine, une réelle bataille était engagée. Butée, je l'écoutais me sermonner, m'exhorter, m'encourager, me cajoler pour que j'apprenne mes leçons. Rien à faire. Immobile sur mon lit, ou hypnotisée devant la télé, j'acquiesçais pour la faire taire, mais je ne lui obéissais plus, l'estomac noué par la culpabilité et la peur.

Ma mère n'en démordit pas tout de suite. Elle parlait de mes leçons à tout le monde ; dès que nous avions des visiteurs, elle me faisait sortir l'instrument et me forçait à montrer le peu que je savais. Même ses amis semblaient mal à l'aise devant son insistance et devant mon refus évident.

À l'automne, ma mère perdit son emploi. Elle n'avait pas droit à l'assurance-chômage et se mit à chercher du travail désespérément. Entêtée, elle me tendait néanmoins le chèque mensuel de mes leçons.

Dans mes mains, l'instrument pesait désormais une tonne. J'étais inquiète pour ma mère et pour notre avenir. La vanité secrète que j'avais éprouvée à marcher dans la rue avec ma petite mallette noire avait disparu. Je voulais que les leçons cessent, je voulais n'avoir jamais reçu ce cadeau. Un soir, en route pour mon cours, je songeai un moment à jeter l'instrument dans une poubelle et je montai tout de suite un scénario extraordinaire dans lequel j'expliquais à ma mère que des voyous me l'avaient arraché des mains sans que je puisse me défendre. Mais cela ne me réconforta que quelques secondes, car je réalisai que la flûte valait beaucoup trop d'argent pour aller aux ordures.

Ne pas aller à ma leçon : l'idée épouvantable et sacrilège s'ancra dans mon esprit et je bifurquai de mon chemin, prenant des rues au hasard, d'un pas nerveux. Je me retrouvai au parc et m'assis sur un banc. Le temps était frisquet et le jour baissait déjà. savais qu'il aurait mieux valu que j'aille à m leçon, mais en même temps, tout mon être se révoltait à l'idée d'y aller.

Je vis arriver un garçon de ma classe au loin. Il marchait en faisant sauter une balle de tennis dans sa main droite. Il s'appelait Pierre L'Espérance. Je ne lui avais jamais adressé la parole, parce qu'il me faisait peur. D'un regard, il pouvait couper net notre enthousiasme au jeu. Il était toujours le premier à repérer un vêtement neuf qu'on étrennait et à nous humilier en le faisant remarquer aux autres. Une seule de ses grimaces sur un de nos dessins suffisait à nous pousser à le jeter aux poubelles. En le reconnaissant, mon pouls s'accéléra : se pouvait-il qu'il soit au courant de mon escapade ?

Il vint droit sur moi et s'assit à mes côtés.

— C'est quoi ça ? demanda-t-il en pointant l'instrument qui reposait sur mes genoux.

— Ma flûte traversière, répondis-je d'un ton méfiant.

Ses yeux s'allumèrent de curiosité et il demanda à la voir. Son masque de mauvais garçon glissa quelques secondes, ému par la beauté métallique de l'instrument. Je m'attendais à ce qu'il fasse une remarque désobligeante, mais il n'en fit rien. J'assemblai l'instrument et je lui fis une démonstration spontanée de tout ce que je savais. Il voulut essayer et réussit du premier coup à soutirer quelques notes de la flûte. Puis il se lassa et me la tendit. Il avait repris sa moue dédaigneuse que je lui connaissais. Sans me dire un mot, il quitta le banc d'un pas pressé.

Le parc était à présent désert. Les lampadaires étaient sur le point de s'allumer. Pendant quelques minutes, j'avais tout oublié. Les émotions qui s'étaient momentanément évanouies me revinrent d'un coup. Qu'avais-je fait là ? Que dirais-je à ma mère, au professeur, à mon père ?

Je me levai, les mains rougies par le froid. Ma flûte sous le bras, je repris le chemin de la maison. C'était bientôt l'heure du souper. En passant devant chacune des belles maisons cossues, je m'imaginai que c'était là que j'habitais, dans une autre famille, que j'avais un autre nom, que j'étais quelqu'un d'autre. En mon for intérieur, je savais bien que c'était impossible, que chaque pas que je faisais me rapprochait inexorablement de chez moi. Je continuais d'avancer, incapable de rebrousser chemin, n'ayant nulle part où aller.

Ma mère, en me voyant arriver, entra dans un accès de fureur terrible. Le professeur lui avait téléphoné pour demander la raison de mon absence. Elle m'accusa de tout. Me secoua en me serrant les bras. Elle me réclama ses rêves, sa jeunesse, ses sacrifices. Lança la méthode sur le mur. Fit semblant de téléphoner à mon père et me tendit le récepteur en me criant de tout lui expliquer. Raccrocha brutalement. M'invectiva. Menteuse ! Égoïste ! Paresseuse ! Bonne à rien ! Me lança l'annuaire. M'ordonna de téléphoner aux journaux pour placer une petite annonce. Pour la vendre. Pour payer le loyer. Etc.

À travers mes larmes et mes hoquets, le corps secoué de tremblements, j'eus quand même le sentiment furtif d'avoir gagné la bataille.

les bottes
de cendrillon

MA NOUVELLE AMIE, JULIE LUSSIER, m'invita à assister à une pièce de théâtre dans laquelle son grand frère GILBERT JOUAIT. Aucun adulte ne pouvait nous accompagner ce soir-là, mais nous avions réussi, à force de supplications, à obtenir la permission d'y aller seules. Nos mères nous firent jurer d'attendre Gilbert à la tombée du rideau et de rentrer avec lui à la maison.

Gilbert nous accompagna à la salle de spectacle de la polyvalente et disparut dans les coulisses. Nous étions très excitées à l'idée d'être sans surveillance. Enfoncée dans mon fauteuil, je craignais à tout moment qu'une voix sévère nous interpelle et nous pointe du doigt en disant : « Que faites-vous ici ? Vous êtes trop jeunes pour sortir seules. » Mais les lumières s'éteignirent enfin.

La pièce me ravit. Gilbert y jouait le rôle de l'amant qui devait se cacher pour échapper au courroux du mari cocu. Il apparaissait et disparaissait dans les placards, sous le lit, dans l'horloge grand-père, etc. Ses entrées étaient souvent accueillies par les applaudissements de l'auditoire. Même si je venais à peine de le rencontrer, j'étais certaine qu'il me voyait assise dans mon fauteuil.

À la fin du spectacle, Julie et moi atten-
dîmes au pied de la scène qu'il réapparaisse
pour nous ramener à la maison. Mais Gilbert
ne venait pas et, perdant patience, Julie me
suggéra de sortir de la salle afin de voir s'il
ne nous attendait pas dehors.

Nous nous retrouvâmes au milieu de la
foule enthousiaste composée en majorité
d'adolescents, et qui nous entraîna malgré
nous. Nous nous tenions par la main pour ne
pas être séparées. En me hissant sur la pointe
des pieds, je vis que le couloir que nous tra-
versions débouchait sur l'obscurité lacérée
d'éclairs de couleurs. Nous passâmes bientôt de grandes portes et nous nous retrouvâmes au beau milieu du gymnase où avait
lieu la danse de fin d'année. La musique
était tellement forte que je ressentais le
rythme de la batterie au creux de mon
estomac.

Je n'avais jamais rien vu ni entendu de
pareil. C'était comme la Ronde, mais en
mille fois mieux encore. À l'avant du gymnase, de hautes colonnes de lumières rouges,
vertes et jaunes clignotaient tels des feux de
circulation détraqués. D'autres lumières,
dans les tons de bleus et de fuschia tour-
noyaient comme des gyrophares. La foule
noire et compacte se mouvait au son de la
musique. Il était presque impossible de dis-

tinguer les visages des danseurs et les couleurs des vêtements avaient disparu. Julie me fit signe de la suivre, au centre, dans la cohue. L'une en face de l'autre, nous nous mîmes à danser. J'étais si excitée que j'eus comme un accès de fou rire, sans entendre pourtant le son de ma voix. C'était la première fois que je dansais en public parmi des étrangers et il me semblait que j'allais à contretemps et que les autres s'en rendraient compte d'un moment à l'autre. Mais personne ne se préoccupait de nous. Nous étions parfaitement incognitos, sans aucun adulte pour nous critiquer ou nous dire quoi faire.

Nous avions instantanément oublié les promesses que nous avions faites à nos mères et Gilbert, pensai-je, finirait bien par nous retrouver et nous raccompagner. Pour l'instant, il fallait s'amuser.

La musique changea de rythme : un slow débutait. Sidérées, Julie et moi fixions la boule-miroir suspendue au plafond et qui s'était mise à tourner et à projeter des milliers de petites taches lumineuses dans toute la salle. L'effet était hallucinant. Les milliers de points qui balayaient le sol et les murs créaient l'impression que le sol tanguait. Autour de nous, des couples dansaient langoureusement. Nous quittâmes le cercle des danseurs et allâmes nous appuyer au mur. Des garçons faisaient le tour de la salle en regardant les filles qui s'étaient réfugiées comme nous près du mur. De temps à autre, l'un d'eux s'approchait et en invitait une de la main. Si elle refusait, il continuait son chemin et réssayait plus loin. Les couples enlacés sur la piste de danse se mirent bientôt à s'embrasser et se caresser au fur et à mesure que la chanson gagnait en intensité. Je n'avais jamais rien vu d'aussi fascinant. Comment faisaient-ils pour se coller les uns aux autres ? Se connaissaient-ils déjà ? Impossible de parler avec Julie qui, comme moi, semblait tout à fait dépassée par ce qu'elle voyait. Le slow prit fin et nous réintégrâmes le groupe. Je dansais avec de plus en plus d'assurance. Complètement absorbée par la musique, les lumières, la foule, j'oubliais par moments que Julie était en face de moi et je voyais à son air lointain qu'elle aussi oubliait ma présence.

La lumière prit tout à coup une teinte mauve phosphorescente que je n'avais jamais vue. Julie, devant moi, me regardait avec des yeux noirs étranges et ses dents étaient d'un blanc éclatant, surnaturel. En baissant la tête, je vis que mon col roulé était aveuglant. Je me croyais sur une autre planète. De grands garçons nous entourèrent tout à coup. Je remarquai surtout leur dentition. Ils nous firent comprendre avec des gestes de la main et des hochements de tête qu'ils voulaient danser avec nous. Ils étaient quatre. En cercle, nous continuâmes à danser en nous observant mutuellement.

Je remuais toutes sortes de questions dans mon esprit sans parvenir à y répondre. Pourquoi voulaient-ils danser avec nous ? Est-ce qu'ils voulaient sortir avec nous ? J'avais entendu dire mes cousines qu'il fallait avoir *frenché* un garçon pour savoir si l'on sortait avec lui. Je scrutai le visage de Julie et j'essayai de me fier à elle pour savoir comment agir. Mais il nous était impossible de communiquer nos impressions. Je me retrouvai donc flanquée de deux grands garçons qui me souriaient de toutes leurs dents blanc-bleu. De temps à autre, nos coudes se frôlaient et il me semblait qu'ils dégageaient de la chaleur.

Je m'efforçais de garder le rythme, pour ne pas avoir l'air ridicule. Celui de droite se pencha à mon oreille et me demanda mon nom en hurlant presque. Je me hissai sur la pointe des pieds pour lui répondre. Il posa sa main sur ma taille comme pour me retenir de tomber. Cette main sur moi me fit l'effet d'une décharge électrique. Quelle différence avec les garçons de ma classe qui voulaient tout le temps nous faire des jambettes ou nous tirer les cheveux ! Il pointa ensuite vers sa poitrine et me cria son nom à son tour, que je ne compris pas. Trop gênée pour le faire répéter, je hochai la tête comme si j'avais compris. En face de moi, Julie aussi en était aux présentations.

La boule-miroir se remit à tourner, annonçant le début d'un autre slow. Julie et moi nous empressâmes de nous diriger vers le mur, mais trop tard, nous fûmes interceptées par deux des garçons qui nous guidèrent fermement vers le centre. Je n'eus d'autre choix que de me laisser enlacer. Mon cœur battait très fort et j'éprouvai une violente répulsion quand il m'attira à lui. Je n'en revenais pas d'être si proche d'un parfait inconnu. C'était dégoûtant ! Je m'évertuais tant bien que mal à me tenir le plus éloignée de son corps. Je lui tenais les épaules du bout des doigts et je contractais mon estomac pour empêcher que nos ventres et nos poitrines se touchent, alors que lui au contraire faisait tout son possible pour se coller à moi. Je gardais obstinément la tête tournée vers la droite pour éviter son regard, mais surtout pour éviter qu'il ne s'empare de ma bouche. Autour de nous,

les autres couples s'embrassaient déjà gou-
lûment. Je cherchais à voir Julie, mais je ne
voyais que son dos. Je tournais le plus rapidement possible, sans tenir compte du
rythme de la musique, comme si le slow
pouvait ainsi se terminer plus vite. Le sup-
plice s'acheva enfin, et nous pûmes nous
décoller l'un de l'autre pour reprendre la
danse.

Nous formions maintenant un petit cercle de quatre personnes, car les deux autres
garçons avaient disparu dans la foule, par-
tis à la recherche d'autres filles, sans doute.
La répulsion que j'avais éprouvée pendant
le slow s'atténua et je me pris même à sou-
haiter d'en danser un autre avec lui pour
bien savoir comment c'était. J'étais pourtant
trop gênée pour le regarder en face, me contentant de l'observer à la dérobée. Il devait
bien avoir quatorze ou quinze ans. Julie et
moi étions grandes pour notre âge. À l'école,
on nous appelait les deux échalotes. Je me
doutais bien qu'ils ne nous auraient jamais
invitées s'ils avaient su notre âge.

Cependant, quand un autre slow commença et qu'il me prit la main pour me coller
contre lui, j'éprouvai encore un sentiment de
panique à son contact, qui me donna un
autre fou rire nerveux. Cette fois, à chaque
révolution, je me retrouvais face à face avec

Julie et je vis qu'elle aussi riait. Que de choses à raconter demain à l'école ! Danser des slows avec des grands ! Collés à eux, en plus ! Il fallait que je me rappelle tout dans les moindres détails. Si seulement j'avais pu entendre son nom !

Brusquement, la musique s'arrêta et les lumières de la salle s'allumèrent. La foule émit un ah ! de déception. La soirée était finie. Mon cavalier et moi nous retrouvâmes face à face dans la lumière crue des néons. Il me dévisageait sans gêne. Quand son regard s'arrêta sur mes bottes, il se durcit. Suivant son regard, je compris. Mes bottes venaient de trahir mon âge ; je portais des bottes de petite fille. C'étaient des bottes de plastique rembourré de fourrure synthétique. Elles étaient grosses et inélégantes, d'un brun roux affreux. Elles ne m'avaient jamais dérangée avant, mais je réalisai d'un coup, qu'aucune « grande » n'aurait jamais laissé sa mère lui acheter de telles bottes.

Julie me tapa sur l'épaule : elle me tendait mon manteau que nous avions laissé dans un tas, le long du mur. Autour de nous, la foule se dirigeait lentement vers la sortie. « T'as quel âge toi, coudonc ? », me demanda-t-il, le regard méchant. Il me tourna le dos avant que j'aie le temps de répondre. Je le regardai s'éloigner avec son ami. Je vis son visage un instant de profil, qui riait, puis il se fondit dans la foule.

Je revêtis ma canadienne rouge à capuchon qui me fit également honte. Je laissai mes mitaines et ma tuque dans mes poches.

Une fois dehors, toute la magie de la soirée s'était évanouie et la peur nous rattrapa. Les rues silencieuses, les maisons noires, sans lumière, nous indiquaient qu'il était tard, beaucoup plus tard que nous ne l'imaginions. Nous nous mîmes à courir éperdument comme pour rattraper le temps qui avait filé. Et, une fois séparée de Julie qui avait bifurqué pour rentrer chez elle, cette peur me brûla le creux de l'estomac. Je n'avais aucune excuse à donner, j'allais être punie, je le savais trop bien. En poussant la porte de l'appartement, j'aperçus ma mère assise dans le haut de l'escalier, le visage livide, la bouche pincée. Quand je passai près d'elle, la tête basse, elle fit mine de me frapper.

comme
au cinéma

COMME PUNITION POUR NOTRE ESCAPADE À LA DANSE, ON NOUS EMPÊCHA, JULIE ET MOI, DE JOUER ENSEMBLE PENDANT DEUX SEMAINES. Cela eut pour effet de solidifier notre amitié. Et c'est durant cette période, c'est-à-dire l'été de nos douze ans, que nous entrâmes simultanément dans une phase étrange, à la fois excitante et torturée. C'étaient des sortes de limbes dans lesquelles nous nous sommes mises à errer toutes les deux. Nous avions terminé nos études primaires et nous nous préparions à entrer au secondaire à l'automne. Une journée, nous pouvions jouer à la poupée avec le plus grand sérieux et le lendemain, parcourir les rues du quartier, insatisfaites, moroses même parfois, à la recherche d'on ne savait quoi. Nous passions également des heures à scruter nos images dans le miroir.

J'étais attirée comme un aimant par la maison de Julie. J'adorais aller chez elle. Elle était la dernière de six et la seule fille. Le midi, quand elle m'invitait, il arrivait qu'en l'absence de ses parents nous nous retrouvions seules à table avec ses frères. J'admirais Julie qui était si à l'aise avec eux, qui ne les craignait pas, qui savait leur répondre quand ils la taquinaient. Elle savait se battre aussi, comme j'avais pu le constater lors d'attaques-surprises de ses frères. Elle pestait et se démenait comme un chat et se relevait, très digne, rarement fâchée.

Pendant ces dîners, je devenais la cible de leurs taquineries. Pétrifiée de timidité, j'étais incapable de leur répondre. Je n'arrivais même pas à discerner si les questions qu'ils me posaient étaient sérieuses ou non. Au mieux, je bafouillais des réponses ineptes, mais, le plus souvent, je restais muette et je rougissais, à leur plus grand bonheur.

Mon préféré était Gilbert, l'acteur, qui était âgé de dix-sept ans. Il avait été puni, lui aussi, parce qu'il ne nous avait pas ramenées à la maison après la pièce, sans pourtant nous en tenir rigueur. Je crois même que l'histoire l'avait plutôt amusé.

— Je t'aime, Gigi, ô prunelle de mes yeux ! déclamait-il régulièrement de l'autre bout de la table en faisant de grands gestes.

Un jour que j'étais seule à la maison à m'ennuyer, j'eus l'idée de goûter à la tequila que ma mère avait reçue en cadeau d'une amie qui revenait du Mexique. Je m'en servis un petit verre et je l'avalai d'un coup comme je les avais vues faire. Assise sur une chaise, j'attendis placidement les effets de l'alcool.

Une main invisible m'empoigna la nuque. Je ressentis ensuite une brûlure intense dans mon ventre et mes jambes, devenues creuses, se remplirent de plomb fondu. Ces sensations se dissipèrent pour être remplacées par un enthousiasme fulgurant qui semblait monter de mes entrailles. En regardant autour de moi, j'eus l'impression de comprendre des choses nouvelles. Je me levai et je sortis m'appuyer à la balustrade du balcon. Le grand érable qui camouflait le balcon me parut magnifique. En me penchant, j'eus la certitude que si je sautais, rien ne m'arriverait. La vie était belle, tout était possible. Impulsivement je décidai de me rendre chez Julie, même si je savais qu'elle était absente.

Je traversai les rues verdoyantes et, remplie d'un sentiment d'invincibilité, je gravis les marches de l'immense maison de briques rouges et je sonnai avec insistance. J'entendis des aboiements et je vis une silhouette s'approcher à travers la vitre de verre dépoli. La porte s'ouvrit, c'était Gilbert.

Le labrador noir se faufila prestement entre ses jambes et me bondit dessus. Gilbert m'annonça que sa sœur était sortie avec ses parents, mais qu'ils devaient revenir sous peu, et il m'invita à entrer pour les attendre. J'entrai, poussée, presque soulevée, par le gros museau du chien qui me reniflait l'entrejambe. L'intérieur de la maison était frais et silencieux et j'eus du mal à ajuster mes yeux à la pénombre. Gilbert me guida au sous-sol où il logeait avec deux de ses frères. En entrant dans sa chambre, je remarquai l'odeur qui se dégageait de son lit et de ses vêtements éparpillés sur le plancher. Dans un coin, une batterie abandonnée reluisait tristement. Il n'y avait pas de chaise et je m'assis sans hésiter sur le petit lit grinçant, les jambes étendues et le dos appuyé au mur. Il m'imita. Il n'était vêtu que d'un short et je ne pouvais m'empêcher de fixer ses jambes musclées, couvertes d'un duvet blond roux, pendant qu'il parlait de l'audition qu'il préparait afin d'être admis à l'École de théâtre. De temps à autre, je lui lançais un regard que je voulais intense, mais qu'il ne paraissait pas remarquer.

Pressentant que les effets de l'alcool se dissipaient, je me tournai vers Gilbert, je pris son visage entre mes mains comme au cinéma et je l'embrassai. Il ne put qu'émettre un « hmf ! » étonné et répondre à mon baiser malhabile.

Je voulus préserver ce moment en me rappelant tout : ce bruit de tondeuse à gazon qui bourdonnait quelque part, le froufrou des rideaux qui voletaient, soulevés par un souffle chaud. Sa bouche qui goûtait le dentifrice et la cigarette. Ouvrant brièvement les yeux, j'aperçus, au-dessus de nos têtes, l'affiche de Robert Plant, du groupe Led Zeppelin, dans une convulsion tétanique accroché à son micro...

Une porte claqua à l'étage du dessus. Julie et ses parents revenaient. D'un bond, Gilbert fut debout et appela sa sœur du bas de l'escalier :

— Julie, t'as de la visite.

Toujours assise sur le lit, je m'essuyai la bouche du revers de la main. Mon amie entra en coup de vent, contente de me voir. Elle ne me posa aucune question et m'entraîna en courant au parc. J'avais les jambes flageolantes sous l'effet de l'alcool et sous l'effet de mon audace extraordinaire qui me stupéfiait moi-même. Gilbert avait disparu sans que j'aie pu lui dire au revoir.

Dans les balançoires, je faillis tout raconter à Julie, mais je me retins à la dernière minute. Comme une révélation, l'image du cahier de ma cousine Maryse m'était apparue. Il valait mieux écrire ce qui s'était passé ! Sans perdre une seconde, je sautai en bas de la balançoire sans attendre qu'elle soit immobilisée et je courus dans le sable en envoyant la main à Julie :

— Je t'appelle plus tard ! Faut que je rentre à la maison !

— Gigi attends-moi, dit Julie en essayant de stopper l'élan de la balançoire avec ses pieds.

Arrivée chez moi, je m'enfermai dans ma chambre et je pris mon cahier. Je m'étendis à plat ventre sur le lit, crayon en main. Le moment était solennel. M'appliquant de ma plus jolie écriture, je débutai ainsi : *Aujourd'hui, j'ai embrassé un garçon.* Insatisfaite, j'effaçai *un garçon* pour le remplacer par *Gilbert*. Je considérai un moment cette phrase, la tête penchée. Les mots alignés me parurent stupides. Il me sembla qu'il y avait un écart incommensurable entre les mots écrits dans mon cahier et ce qui s'était passé dans l'après-midi.

Déçue, je refermai mon cahier, sans pour autant abandonner l'idée d'écrire mon histoire. Juste au moment de sombrer dans le sommeil, je me faisais la promesse d'y revenir plus tard.

À part ce baiser furtif et hardi, il ne me reste plus grand souvenir de cet été de mes douze ans. L'automne arrivé, il fallut que j'entre à l'école secondaire. Le matin du début des classes, j'éprouvai une réelle terreur. J'étais redevenue une petite fille ou, plutôt, j'en étais encore une. Ma mère m'accompagna durant une partie du trajet, mais d'un accord tacite, elle me laissa à un coin de rue de la polyvalente et me laissa continuer mon chemin seule.

Déjà, une foule bruyante et bigarrée se pressait dans la cour, dans les escaliers, sur les trottoirs et les parterres. Je cherchai mon amie Julie des yeux, mais ne je la repérai pas. Je ne reconnus personne à vrai dire.

À l'intérieur, une cloche stridente retentit. La foule s'engouffra. Je me mis à la fin de la queue et quand j'entrai dans ma nouvelle école, la lourde porte se referma sur moi avec un claquement métallique brutal.

Table des matières

Achevé d'imprimer
sur les presses
de AGMV-Maquis
août 2002